D0833590

Russian-English

THE GREATCOAT
NIKOLAI GOGOL

HE WAS CARRIED OUT

Bilingual Series

THE GREATCOAT

BY

NIKOLAI GOGOL

TRANSLATED BY

ZLATA SHOENBERG AND JESSIE DOMB

GEORGE G. Harrap & CO. LTD

LONDON TORONTO WELLINGTON SYDNEY

ПРЕДИСЛОВИЕ

Никола́й Васи́льевич Го́голь (1809–1852) роди́лся в семье́ мелкопоме́стных дворя́н в месте́чке Сорочи́нцах Полта́вской губе́рнии и де́тские го́ды провёл в Васи́льевке—небольшо́м поме́стье свои́х роди́телей.

Оте́ц Го́голя не лишён был литерату́рных спосо́бностей, и его́ пье́сы ста́вились на сце́не дома́шнего теа́тра его́ ро́дственника Трощи́нского—бога́того поме́щика, име́ние кото́рого находи́лось недалеко́ от Васи́льевки. Совсе́м ино́го ро́да бы́ло влия́ние ма́тери—же́нщины о́чень религио́зной.

Двена́дцати лет Го́голя отдаю́т учи́ться в «Гимна́зию вы́сших нау́к» в го́роде Не́жине Черни́говской губе́рнии.

Весно́й 1828 го́да девятнадцатиле́тний Го́голь конча́ет своё пребыва́ние в шко́ле и о́сенью е́дет в Петербу́рг, что́бы нача́ть там самостоя́тельную жизнь. Интере́сно, что внача́ле Гоголь мечта́ет преиму́щественно о блестя́щей карье́ре чино́вника или учёного. Одна́ко ряд пости́гших его́ неуда́ч на по́чве практи́ческой де́ятельности приво́дит Го́голя на его́ настоя́щий путь. Го́голь стано́вится писа́телем.

На протяже́нии пяти́ лет (1831–1835) в печа́ти появля́ются таки́е произведе́ния Го́голя, как сбо́рник повесте́й «Вечера́ на ху́торе близ Дика́ньки» и «Ми́ргород». В э́тих сбо́рниках в живо́й и я́ркой фо́рме изображены́ быт, нра́вы и пове́рия родно́й писа́телю Украи́ны. При э́том

3

INTRODUCTION

Nikolai Vasilievitch Gogol (1809–52) was born into the family of a nobleman, a small landowner in a little place in the Sorotchintzy Poltava province, and his childhood was passed in Vasilievka, his parents' small estate.

Gogol's father did not lack literary ability, and his plays were acted in the private theatre of his kinsman Troshtchinsky—a wealthy landowner, whose estate was not far from Vasilievka. Of an entirely different nature was the mother's influence —she was a very religious woman.

When Gogol was twelve years old he was sent to study at a high school in the town of Niezhin, in the Tchernigov province.

In the spring of 1828 the nineteen-year-old Gogol finished his studies, and in the autumn went to Petersburg in order to start his independent life there. It is of interest that at first Gogol dreamt chiefly of the brilliant career of an official or savant. However, he met with a series of setbacks in his career, and this put Gogol on to his right path. Gogol became a writer.

During the five years 1831–35 such works of Gogol's were published as the collected tales *Evenings on a Farm near Dikanka* and *Mirgorod*. In these collections the traditions, customs, and superstitions of the author's native land, the Ukraine, are depicted in a vivid and bright style.

3

круг действующих лиц в повестях Гоголя очень разнообразен: тут и простые казаки, и представители мелкопоместного дворянства, и провинциальное чиновничество, и представители духовенства.

К концу этого периода появляется несколько повестей Гоголя на петербургские темы («Нос», «Записки сумасшедшего», «Невский проспект», «Портрет»). Однако высшим достижением Гоголя за этот период является его гениальная комедия «Ревизор», которая до сих пор не сходит со сцены наших советских театров.

Однако в 1836 году бурный поток гоголевского творчества внезапно обрывается. Гоголь в этом году уезжает за границу и живёт там (преимущественно в Риме) до 1848 года, причём пребывание его за границей за весь этот долгий период прерывается лишь двумя приездами на короткое время в Россию (в 1839 и 1842 годах).

Первые пять лет своего пребывания за границей Гоголь посвящает работе над своим величайшим творением и одним из гениальнейших произведений русской литературы XIX века. Это произведение—«Мёртвые души» (1-я часть).

Если в «Ревизоре» дан яркий материал для критики основ самодержавно-чиновничьего строя, то «Мёртвые души» дают такой же материал для критики основ всего крепостничества.

Появление в 1842 году первой части «Мёртвых душ» упрочило в прогрессивных читательских кругах того времени славу Гоголя, как

INTRODUCTION

In addition, the characters in Gogol's tales are extremely varied. In them are simple Cossacks, members of the lesser nobility, provincial officials, and clerical types.

At the end of this period several tales appeared by Gogol on subjects dealing with Petersburg life—*The Nose, Memoirs of a Lunatic, Nevsky Prospekt,* and *The Portrait*. However, as Gogol's greatest achievement at this period appeared his work of genius, the comedy *The Revizor*, which to this day has never been off the stage of our Soviet theatres.

In 1836, however, the torrential flow of Gogol's creations suddenly ceased. In that year Gogol went and lived abroad (for the most part in Rome) till the year 1848, and his stay abroad was broken only twice during the whole of that long period by short journeys to Russia (in 1839 and 1842).

The first five years of his foreign sojourn Gogol devoted to working on his greatest creation, one of the most brilliant works in Russian literature of the nineteenth century. This work was *Dead Souls* (first part).

If *The Revizor* provides rich material for criticism of the foundation of the autocratic civil service regime, then *Dead Souls* provides the same material for criticism of the basis of the whole system of serfdom.

The appearance in 1842 of the first part of *Dead Souls* established Gogol's fame in the circles of progressive readers as the greatest Russian writer,

ПРЕДИСЛОВИЕ

величайшего русского писателя и достойного преемника безвременно погибшего Пушкина.

Обратимся теперь к лежащей перед нами повести. Гоголь в период расцвета своего творчества чутко относился к страданиям «мелкого человека». Но ни в одном из произведений Гоголя эта чуткость не отразилась так ярко, как в повести «Шинель». Гоголь долго работал над этой повестью. Первый набросок её относится к 1839–1840 годам.

В этой повести поразительно всё. Гоголь как-то сумел одновременно показать Акакия Акакиевича Башмачкина и смешным и трогательным. Рассказанная в смешных тонах история маленького, забитого чиновника заставляет читателя и посмеяться над ним и глубоко его пожалеть настоящей человеческой жалостью.

Прочитав «Шинель», читатель и взгрустнёт и глубоко задумается. И тут же должен будет притти к выводу, что характерная черта творчества Гоголя, по меткому определению самого великого писателя, это—«видный миру смех и незримые, неведомые ему слёзы».

В своей небольшой повести Гоголь сумел поднять целый ряд общих вопросов. В незамысловатой истории Башмачкина—маленького винтика в огромной бюрократической машине царского самодержавия,—как солнце в малой капле воды, отразился весь самодержавно-полицейский порядок царствования Николая I и все его последствия: полное обезличение человека.

and a worthy successor to Pushkin, who had had so untimely an end.

Let us now turn to the tale before us. During the period when Gogol's creative powers were at their height, he proved that he was very sensitive to the suffering of the small man. But in none of Gogol's works is this sensitiveness so vividly reflected as in the tale *Shinel*. Gogol worked long on this story. The first rough sketch of it was made in 1839 and 1840.

Everything in this tale is striking. Gogol somehow managed to show Akaky Akakyevitch Bashmatchkin to be amusing and at the same time pathetic. Told in a humorous style, the history of the small, downtrodden official compels the reader to laugh at him and also to feel profound pity, real human pity.

After having read *Shinel* the reader will feel sad and very thoughtful, and will have to agree that the characteristic feature of Gogol's creation, as the great author himself so rightly said, is " that the laughter is apparent to the world, but the tears are hidden and unsuspected."

In this short story Gogol was able to expose a whole range of social problems. In the simple history of Bashmatchkin—a tiny screw in the vast bureaucratic machine of the Tsarist autocracy— it reflects, like the sun in a small drop of water, the whole autocratic police administration during the reign of Nicolas I and all its consequences ; the complete suppression of all individuality in a human being.

ОН СЛУЖИЛ С ЛЮБОВЬЮ

ШИНЕЛЬ

В департа́менте . . . но лу́чше не называ́ть, в како́м департа́менте. Ничего́ нет серди́тее вся́кого ро́да департа́ментов, полко́в, канцеля́рий и, сло́вом, вся́кого ро́да должностны́х сосло́вий. Тепе́рь уже́ вся́кий ча́стный челове́к счита́ет в лице́ своём оскорблённым всё о́бщество

Говоря́т, весьма́ неда́вно поступи́ла про́сьба от одного́ капита́на-испра́вника, не по́мню, како́го-то го́рода, в кото́рой он излага́ет я́сно, что ги́бнут госуда́рственные постановле́ния и что свяще́нное и́мя его́ произно́сится реши́тельно всу́е. А в доказа́тельство приложи́л к про́сьбе

6

HE WORKED WITH DEVOTION

THE GREATCOAT

In a certain department—but better not say which, as there is no one touchier than people in a department, regiment, or office : in short, any kind of civil servant. Nowadays any private person considers that an insult to him is an insult to society as a whole.

It is said that quite recently a petition was received from a Chief Constable of—I don't remember which town—in which he distinctly states that the laws of the State are being destroyed, and his own sacred name taken in vain. As evidence he enclosed with his petition a lengthy volume of rather

преогромнейший том какого-то романтического сочинения, где, чрез каждые десять страниц, является капитан-исправник, местами даже совершенно в пьяном виде. Итак, во избежание всяких неприятностей, лучше департамент, о котором идёт дело, мы назовём одним департаментом.

Итак, в одном департаменте служил один чиновник, чиновник нельзя сказать чтобы очень замечательный, низенького роста, несколько рябоват, несколько рыжеват, несколько даже на вид подслеповат, с небольшой лысиной на лбу, с морщинами по обеим сторонам щёк и цветом лица что называется геморроидальным . . . Что ж делать, виноват петербургский климат.

Что касается до чина (ибо у нас прежде всего нужно объявить чин), то он был то, что называют вечный титулярный советник, над которым, как известно, натрунились и наострились вдоволь разные писатели, имеющие похвальное обыкновение налегать на тех, которые не могут кусаться.

Фамилия чиновника была Башмачкин. Уже по самому имени видно, что она когда-то произошла от башмака; но когда, в какое время и каким образом произошла она от башмака, ничего этого неизвестно. И отец, и дед, и даже шурин, все совершенно Башмачкины ходили в сапогах, переменяя только раза три в год подмётки.

Имя его было: Акакий Акакиевич. Может быть, читателю оно покажется несколько странным и выисканным, но можно уверить, что его

romantic character, in which the Chief Constable appears every ten pages, in places even completely drunk. And so, to avoid all unpleasantness, it will be best to call the department in question " a certain department."

And so, in a certain department there worked an official, who cannot be said to have been very remarkable. He was short, rather pock-marked, somewhat carroty, weak-sighted, and with a bald patch over his forehead, wrinkles on both sides of his cheeks, and a complexion known as hæmorrhoidal. . . . What can one do ? It was the fault of the St Petersburg climate.

As for his rank (for with us it is necessary, above all, to state a man's rank), he was what is known as a permanent titular councillor, the type of civil servant, as is well known, that is made fun of and jeered at freely by various writers who have the laudable habit of picking on those who cannot hit back.

This official's name was Bashmatchkin. Even the name shows that it was derived from a shoe, but when or at what period, or how it came about, nothing is known of this. The father and the grandfather, and even the brother-in-law, all thorough Bashmatchkins, wore boots, changing only the soles about three times a year.

His Christian name was Akaky Akakyevitch. The reader will perhaps find this rather strange and obscure ; he may be assured, however, that it was

никáк не искáли, а что сáми собóю случѝлись
такѝе обстоятельства, что никáк нельзя́ бы́ло
дать другóго ѝмени, и э́то произошлó ѝменно вот
как : родѝлся Акáкий Акáкиевич прóтив нóчи
если тóлько не изменя́ет пáмять, на 23 мáрта.
Покóйница-мáтушка, чинóвница и óчень хорó-
шая жéнщина, расположѝлась, как слéдует,
окрестѝть ребёнка. Мáтушка ещё лежáла на
кровáти прóтив дверéй, а по прáвую рýку стоя́л
кум, превосхóднейший человéк, Ивáн Ивáнович
Ерóшкин, служѝвший столоначáльником в се-
нáте, и кумá, женá квартáльного офицéра,
жéнщина рéдких добродéтелей, Арѝна Семё-
новна Белобрю́шкова.

Родѝльнице предоставля́ли на вы́бор любóе из
трёх, какóе онá хóчет вы́брать : Мóккия, Сóссия
ѝли назвáть ребёнка во ѝмя мýченика Хоздазáта.
«Нет», подýмала покóйница : «именá-то всё
такѝе». Чтóбы угодѝть ей, развернýли калéн-
дáрь в другóм мéсте ; вы́шли опя́ть три ѝмени :
Стрифѝлий, Дýла и Варахáсий. «Вот э́то накá-
зáние», проговорѝла старýха ; «какѝе всё именá,
я, прáво, никогдá и не слы́хивала такѝх. Пусть
бы ещё Варадáт ѝли Варýх, а то Трифѝлий и
Варахáсий». Ещё переворотѝли странѝцу—
вы́шли : Пáвсикахий и Вахтѝсий. «Ну, уж я
вѝжу», сказáла старýха : «что, вѝдно, егó такáя
судьбá. Уж éсли так, пусть лýчше бýдет он
назывáться как и отéц егó. Отéц был Акáкий,
так пусть и сын бýдет Акáкий». Такѝм óбразом
и произошёл Акáкий Акáкиевич.

Ребёнка окрестѝли ; при чём он заплáкал и

not specially selected, but happened by itself in such circumstances that it was quite impossible to give any other name. And this is exactly what did happen. Akaky Akakyevitch was born towards night, if memory is not at fault, on March 23. The mother (now dead), the wife of a civil servant and a very good woman, arranged, as is proper, to have the child christened. She was still in bed, facing the door. On her right stood Ivan Ivanovitch Yeroshkin, the godfather—an excellent person, head clerk in the Senate—and the godmother, wife of a district superintendent (of police), a woman of rare virtues, Arina Semienovna Bielobriushkova.

The mother was given three names from which to select the one she wanted—they were Mokya, Sossya, or to name the child after the martyr Chozdazat. "No," thought the lady of blessed memory. "What names!" To humour her the calendar was opened at another place, and three names taken again: Strifiliy, Dula, and Varachasy. "This is a punishment," said the mother. "What names! I really never heard anything like them! Let it be Varadat or Varuch, but not Trifily or Varachasy." Still another page was turned, and out came Pavsikachy and Vachtisy. "Well, I see now," said the mother, "it seems to be his fate. So, if that's how it is, then let him be called after his father. The father was Akaky, so let the son be Akaky." That is how Akaky Akakyevitch was created.

When the child was christened he began to cry

сделал такую гримасу, как будто бы предчувствовал, что будет титулярный советник. Итак, вот каким образом произошло всё это. Мы привели потому это, чтобы читатель мог сам видеть, что это случилось совершенно по необходимости и другого имени дать было никак невозможно.

Когда и в какое время он поступил в департамент и кто определил его, этого никто не мог припомнить. Сколько ни переменялось директоров и всяких начальников, его видели всё на одном и том же месте, в том же положении, в той же самой должности, тем же чиновником для письма; так что потом уверились, что он, видно, так и родился на свет уже совершенно готовым, в вицмундире и с лысиной на голове.

В департаменте не оказывалось к нему никакого уважения. Сторожа не только не вставали с мест, когда он проходил, но даже не глядели на него, как будто бы через приёмную пролетела простая муха. Начальники поступали с ним как-то холодно-деспотически. Какой-нибудь помощник столоначальника прямо совал ему под нос бумаги, не сказав даже: «перепишите», или «вот интересное, хорошенькое дельце», или что-нибудь приятное, как употребляется в благовоспитанных службах. И он брал, посмотрев только на бумагу, не глядя, кто ему подложил и имел ли на то право. Он брал и тут же пристраивался писать её.

Молодые чиновники подсмеивались и острились над ним во сколько хватало канцелярского

and he made such a face as though he had a foreboding that he was to be a titular councillor. Well, that is how it all happened. We have gone through it so that the reader can see for himself that it was done out of sheer necessity, and that it was in no way possible to give him any other name.

When, and at what period, he first came to the department, and who appointed him, nobody can remember. However many directors and other officials were changed, he was always to be seen at the same place, in the same position, at the same job of copying clerk ; so that one eventually became convinced that he came into the world like that, quite ready to start, in his civil servant's uniform and with a bald patch on his head.

Nobody in the office showed him the least respect. The porters not only failed to rise when he passed by, but did not even look at him, as if a mere fly had flown through the waiting room. His superiors were coldly despotic with him. Some assistant to a head clerk would thrust a paper under his nose, without even saying " Copy it " or " Here is a nice, interesting piece of work," or something pleasant, as is usual in polite offices. He would take it, looking only at the paper and taking no notice of who had given it to him, whether he had any right to do so. He would take it and at once get ready to copy it.

The young clerks jeered and poked fun at him, as far as civil service wit would allow, and even to his

остроумия, рассказывали тут же пред ним разные
составленные про него истории, про его хозяйку,
семидесятилетнюю старуху, говорили, что она
бьёт его, спрашивали, когда будет их свадьба,
сыпали на голову ему бумажки, называя это
снегом. Но ни одного слова не отвечал на это
Акакий Акакиевич, как будто бы никого и не
было перед ним; это не имело даже влияния на
занятия его: среди всех этих докук он не делал
ни одной ошибки в письме. Только если уже
слишком была невыносима шутка, когда толкали
его под руку, мешая заниматься своим делом,
он произносил: «оставьте меня, зачем вы меня
обижаете». И что-то странное заключалось в словах и в голосе, с каким они были произнесены.
В нём слышалось что-то такое преклоня-
ющее на жалость, что один молодой человек,
недавно определившийся, который, по примеру
других, позволил было себе посмеяться над
ним, вдруг остановился как будто пронзённый,
и с тех пор как будто всё переменилось перед
ним и показалось в другом виде. Какая-то
неестественная сила оттолкнула его от товарищей, с которыми он познакомился, приняв их
за приличных, светских людей. И долго потом
среди самых весёлых минут представлялся ему
низенький чиновник с лысинкою на лбу, с
своими проникающими словами: «оставьте меня,
зачем вы меня обижаете»—и в этих проника-
ющих словах звенели другие слова: «я брат
твой». И закрывал себя рукою бедный молодой
человек, и много раз содрогался он потом на

10

face told various stories that they had made up—about his landlady, a septuagenarian, who, they said, beat him. They would ask him when the wedding was to be. They would strew paper on his head, and say it was snow. But to all this Akaky Akakyevitch never said a word, as if there were no one there ; it did not even affect his work. He made not one mistake in his writing amidst all these annoyances. Only if the joke became quite unbearable, when his elbow was jogged and his work interfered with, he would say, " Leave me alone, why are you so unkind to me ? " and there was a peculiar ring in his words and the voice in which they were uttered.

There was something verging on pathos in their tone, so that one young man, a newcomer, who had started to make fun of him like the rest, stopped suddenly as if transfixed. From then on everything was changed for him, he seemed to see things in a different aspect. Some unknown force separated him from the colleagues with whom he had made acquaintance, taking them to be decent, well-bred people. Long afterwards, during his gayest moments, he could visualize the little clerk with the bald spot on his head, and hear his moving words : " Leave me alone, why are you so unkind to me ? " Behind these pathetic words sounded others : " I am your brother ! " And this poor young man would cover his eyes, and many a time

веку́ своём, ви́дя, как мно́го в челове́ке бесчело-
ве́чья, как мно́го скры́то свире́пой гру́бости в
утончённой, образо́ванной све́тскости и, бо́же!
да́же в то́м челове́ке, кото́рого свет признаёт
благоро́дным и че́стным. . . . .

Вряд ли где мо́жно бы́ло найти́ челове́ка,
кото́рый так жил бы в свое́й до́лжности. Ма́ло
сказа́ть: он служи́л ре́вностно, нет, он служи́л
с любо́вью. Там, в э́том перепи́сываньи, ему́
ви́делся како́й-то свой разнообра́зный и прия́т-
ный мир. Наслажде́ние выража́лось на лице́
его́; не́которые бу́квы у него́ бы́ли фавори́ты,
до кото́рых е́сли он добира́лся, то был сам не
свой: и подсме́ивался, и подми́гивал, и помога́л
губа́ми, так что в лице́ его́, каза́лось, мо́жно
бы́ло проче́сть вся́кую бу́кву, кото́рую выво-
ди́ло перо́ его́.

Е́сли бы, соразме́рно его́ рве́нию, дава́ли ему́
награ́ды, он, к изумле́нию своему́, мо́жет быть,
да́же попа́л бы в ста́тские сове́тники[1], но вы́слу-
жил он, как выража́лись остряки́, его́ това́рищи,
пря́жку в петли́цу, да на́жил гемор́ой в поясни́-
цу.

Впро́чем, нельзя́ сказа́ть, чтобы не́ было к
нему́ никако́го внима́ния. Оди́н дире́ктор, бу́-
дучи до́брый челове́к и жела́я вознагради́ть его́
за до́лгую слу́жбу, приказа́л дать ему́ что́-
нибудь поважне́е, чем обыкнове́нное перепи́с-
ванье; и́менно из гото́вого уже́ де́ла ве́лено
бы́ло ему́ сде́лать како́е-то отноше́ние в друго́е

---

[1] То есть получи́л бы чин 5-го класса.

in his life he would shudder at the thought of how much inhumanity there is in man, and how much brutality is hidden under education and good breeding, and—O God !—is even found in the persons whom the world considers noble and honourable. . . .

It would be hard to find a person who lived so much in his work. It is not enough to say that he worked with zeal—no, he worked with devotion. There, in that copying, he found some varied, pleasant world of his own. His face expressed his delight. Some letters were his special favourites, and when he got the opportunity of using them he was quite beside himself. He would give a little laugh and wink, and his lips moved so that it seemed as if every letter that he had formed with his pen could be read on his face.

Had he been rewarded according to his zeal he would have been promoted, and might even to his surprise have found himself among the State councillors [1] but all he gained by his work was, as his witty colleagues put it, a badge for his buttonhole and hæmorrhoids in his back.

It cannot be said, however, that no attention was ever paid him. One director, being a kind man and wanting to reward him for his long service, ordered that he be given something more important to do than just ordinary copying. Working from a previously prepared document, he was ordered

[1] That is : would have received fifth-class rank.

присутственное место: дело состояло только в том, чтобы переменить заглавный титул, да переменить кое-где глаголы из первого лица в третье. Это задало ему такую работу, что он вспотел совершенно, тёр лоб и наконец сказал: «Нет, лучше дайте, я перепишу что-нибудь». С тех пор оставили его навсегда переписывать. Вне этого переписыванья, казалось, для него ничего не существовало.

Он не думал вовсе о своём платье: вицмундир у него был не зелёный, а какого-то рыжевато-мучного цвета. Воротничок на нём был узенький, низенький, так что шея его, несмотря на то, что не была длинна, выходя из воротника, казалась необыкновенно длинною, как у тех гипсовых котёнков, болтающих головами, которых носят на головах целыми десятками русские иностранцы. И всегда что-нибудь да прилипало к его вицмундиру: или сенца кусочек, или какая-я-нибудь ниточка; к тому же он имел особенное искусство, ходя по улице, поспевать под окно именно в то самое время, когда из него выбрасывали всякую дрянь, и оттого вечно уносил на своей шляпе арбузные и дынные корки и тому подобный вздор.

Ни один раз в жизни не обратил он внимания на то, что делается и происходит всякий день на улице, на что, как известно, всегда посмотрит его же брат, молодой чиновник, простирающий до того проницательность своего бойкого взгляда, что заметит даже, у кого на другой стороне тротуара отпоролась внизу панталон

to make out some reference to another Government office. This merely meant that he had to change the title, and to alter some of the verbs from the first to the third person. This gave him so much work that he perspired heavily, and had to keep on wiping his forehead, and eventually he said, " No, better give me something to copy." After that he was left to do copying for ever. Outside this copying nothing seemed to exist for him.

He never thought about his clothes at all. His uniform was not green, but a sort of faded gingery colour. The collar was narrow and low, so that his neck, although not really long, sticking out of that collar seemed of extraordinary length, like those plaster kittens with swinging heads that scores of foreigners in Russia carry on their heads. There was always something clinging to his uniform— either a straw or a thread ; and he had a special knack when walking along the street, of passing under windows at the very moment when all sorts of rubbish was being thrown out. The result was that he invariably carried away on his hat bits of melon-peel and such-like rubbish.

Not once in his life did he notice what went on day by day in the street, he never saw what his colleague always looked at, some young clerk with sight so keen and sharp that he would even notice if anyone on the other side of the street had a piece of leather strap coming off his trousers—this

стремёшка,—что вызывает всегда лукавую усмёшку на лицё его. Но Акакий Акакиевич ёсли и глядёл на что, то видел на всём свои чистые, ровным почерком выписанные строки, и только разве, ёсли, неизвёстно откуда взявшись, лошадиная морда помещалась ему на плечо и напускала ноздрями цёлый вётер в щёку, тогда только замечал он, что он не на серединё строки, а скорёе на срединё улицы.

Приходя домой, он садился тот же час за стол, хлебал наскоро свои щи и ел кусок говядины с луком, вовсе не замечая их вкуса, ел всё это с мухами, со всем тём, что ни посылал бог на ту пору. Замётивши, что желудок начинал пучиться, вставал из-за стола, вынимал баночку с чернилами и переписывал бумаги, принесённые на дом. Ёсли же таких не случалось, он снимал нарочно, для собственного удовольствия, копию для себя, особенно, ёсли бумага была замечательна не по красотё слога, а по адресу к какому-нибудь новому или важному лицу́

Даже в те часы, когда совершённо потухает петербургское сёрое нёбо и весь чиновный народ наёлся и отобёдал кто как мог, сообразно с получаемым жалованьем и собственной прихотью, когда всё ужё отдохнуло после департаментского скрипёнья пёрьями, беготни своих и чужих необходимых занятий и всего того что задаёт себё добровольно, больше даже чем

always brought a smile to his face. But if Akaky Akakyevitch ever did notice anything he only saw on everything his own neat, evenly written lines. It was only if a horse's head, appearing from nowhere on his shoulder, blew quite a wind from the nostrils into his face, that he would notice that he was not in the middle of a line, but rather in the middle of the street.

Arriving home, he would sit down at the table at once and hastily gulp his cabbage soup and swallow a piece of beef with onions, not noticing the flavour. He ate it all—the flies and anything that God may have sent him at the time. Noticing that his stomach was beginning to feel uncomfortable, he would get up from table, take out his inkwell, and begin to copy papers he had brought home with him. But if such were not at hand he would then deliberately, and for his own pleasure, copy something for himself, particularly if the paper were distinguished, not for its beauty of style, but because it bore the address of some new or important person.

Even at the hour when all the light has faded from the grey St Petersburg sky, and all the civil servants have eaten and dined in accordance with their earnings and individual taste ; when everything is at rest, after the scraping of departmental pens, and the rushing about on their own and other people's urgent business and on all those tasks which a restless, indefatigable person gladly sets himself

ШИНЕЛЬ

ну́жно, неугомо́нный челове́к, когда́ чино́вники спеша́т преда́ть наслажде́нию оста́вшееся вре́мя: кто побойче́е, несётся в теа́тр; кто на у́лицу, определя́я его́ на рассма́триванье ко́е-каки́х шляпёнок; кто на ве́чер истра́тить его́ в комплиме́нтах како́й-нибу́дь смазли́вой де́вушке, звезде́ небольшо́го чино́вного кру́га; кто, и э́то случа́ется ча́ще всего́, идёт, про́сто, к своему́ бра́ту в четвёртый и́ли тре́тий эта́ж, в две небольши́е ко́мнаты с пере́дней и́ли ку́хней и ко́е-каки́ми мо́дными прете́нзиями, ла́мпой и́ли и́ной вещи́цей, сто́ившей мно́гих поже́ртвований, отка́зов от обе́дов, гуля́ний; сло́вом, да́же в то вре́мя, когда́ все чино́вники рассе́иваются по ма́леньким кварти́ркам свои́х прия́телей поигра́ть в штурмово́й вист, прихлёбывая чай из стака́нов с копе́ечными сухаря́ми, затя́гиваясь ды́мом из дли́нных чубуко́в, расска́зывая во вре́мя сда́чи каку́ю-нибу́дь спле́тню, занёсшуюся из вы́сшего о́бщества, от кото́рого никогда́ и ни в како́м состоя́нии не мо́жет отказа́ться ру́сский челове́к, и́ли да́же когда́ не́ о чём говори́ть, переска́зывая ве́чный анекдо́т о коменда́нте, кото́рому пришли́ сказа́ть, что подру́блен хвост у ло́шади Фальконе́това монуме́нта,—сло́вом, да́же тогда́, когда́ всё стреми́тся развле́чься, Ака́кий Ака́киевич не предава́лся никако́му развлече́нию.

Никто́ не мог сказа́ть, чтобы когда́-нибу́дь ви́дел его́ на како́м-нибу́дь ве́чере. Написа́вшись всласть, он ложи́лся спать, улыба́ясь зара́нее при мы́сли о за́втрашнем дне: что-то бог пошлёт перепи́сывать за́втра.

because he wishes to do so, rather than from necessity, has ceased ; when officials hurry off to spend the remaining time in amusement ; some one of greater enterprise would hasten to the theatre ; another would spend his time in the street looking at hats, while another at an evening party passed the time in paying compliments to some pretty girl, a star of a small civil servants' circle. . . . Yet another—and this happens most often—would simply visit a colleague living on the fourth or third floor, in two small rooms with hall or kitchen. With some pretensions to elegance, there would be a lamp or some other trifle, that meant many sacrifices and going without dinners or outings. In short, even at that time when all officials were scattered in the small homes of their friends, playing a lively game of whist, sipping tea from glasses with a small biscuit, inhaling the smoke from long chibouks, and while dealing the cards telling some piece of scandal brought from higher society, a thing which no Russian can in any circumstances resist—if there was nothing to talk about they would retell an old anecdote about a commandant who was informed that the tail had been broken off the horse of the Falconet monument—in a word, even when every one's aim was to enjoy themselves Akaky Akakyevitch did not indulge in any relaxation.

No one was able to say that he had ever been seen at an evening party. Having copied to his heart's content, he would go to bed smiling in anticipation as he thought of the following day—wondering what God would send him to copy on the morrow.

ШИНЕЛЬ

Так протекала мирная жизнь человека, который, с четырьмястами жалованья, умел быть довольным своим жребием, и дотекла бы, может быть, до глубокой старости, если бы не было разных бедствий, рассыпанных на жизненной дороге не только титулярным, но даже тайным, действительным, надворным и всяким советникам, даже и тем, которые не дают никому советов, ни от кого не берут их сами.

Есть в Петербурге сильный враг всех получающих 400 рублей в год жалованья или около того. Враг этот не кто другой, как наш северный мороз, хотя впрочем и говорят, что он очень здоров.

В девятом часу утра, именно в тот час, когда улицы покрываются идущими в департамент, начинает он давать такие сильные и колючие щелчки без разбору по всем носам, что бедные чиновники решительно не знают, куда девать их. В это время, когда даже у занимающих высшие должности болит от морозу лоб, и слёзы выступают в глазах, бедные титулярные советники иногда бывают беззащитны. Всё спасение состоит в том, чтобы в тощенькой шинелишке перебежать как можно скорее пять-шесть улиц и потом натоптаться хорошенько ногами в швейцарской, пока не оттают таким образом все замёрзнувшие на дороге способности и дарованья к должностным отправлениям.

Акакий Акакиевич с некоторого времени начал чувствовать, что его как-то особенно

Thus slipped past the peaceful life of a man who could be content with his lot on a salary of four hundred roubles. He might have gone on in this way to a ripe old age, were it not for the various misfortunes which bestrew the path of life, not only of a titular councillor, but even of a confidential, aulic, or court councillor, and every other type of councillor, even those who neither give counsel nor take it themselves.

In St Petersburg there is a powerful enemy of all those who earn four hundred roubles a year or thereabouts. This enemy is none other than our northern frost—although, by the way, it is said to be very healthy.

At nine o'clock in the morning, just the hour when the streets are filled with people going to their offices, the frost begins to bite every nose indiscriminately so sharply and fiercely that the poor officials do not know how to protect them. At this time, when the foreheads of even those in higher positions begin to ache from the frost, and tears come into their eyes, the poor titular councillors are quite defenceless. The only salvation is to run as fast as possible through the five or six streets in a thin, miserable greatcoat, and then stamp the feet well at the porter's lodge, until their faculty and ability for work, which have been frozen *en route*, thaw out again.

For some time now Akaky Akakyevitch had been feeling that something very sharp was penetrating

сильно стало пропекать в спину и плечо, несмотря на то, что он старался перебежать как можно скорее законное пространство. Он подумал, наконец, не заключается ли каких грехов в его шинели. Рассмотрев её хорошенько у себя дома, он открыл, что в двух-трёх местах, именно на спине и на плечах, она сделалась точная серпянка: сукно до того истёрлось, что сквозило, и подкладка расползлась.

Надобно знать, что шинель Акакия Акакиевича служила тоже предметом насмешек чиновникам; от неё отнимали даже благородное имя шинели и называли её капотом. В самом деле, она имела какое-то странное устройство: воротник её уменьшался с каждым годом более и более, ибо служил на подтачиванье других частей её. Подтачиванье не показывало искусства портного и выходило, точно, мешковато и некрасиво.

Увидевши, в чём дело, Акакий Акакиевич решил, что шинель нужно будет снести к Петровичу, портному, жившему где-то в четвёртом этаже по чёрной лестнице, который, несмотря на свой кривой глаз и рябизну по всему лицу, занимался довольно удачно починкой чиновничьих и всяких других панталон и фраков, разумеется когда бывал в трёзвом состоянии и не питал в голове какого-нибудь другого предприятия.

Об этом портном, конечно не следовало бы много говорить, но так как уже заведено, чтобы в повести характер всякого лица был совершенно

to his back and shoulders, though he strove to run the necessary distance at top speed. He began to wonder at last if, perhaps, it were due to some defects in his greatcoat. In his own home he examined it well and discovered that in two or three places, namely, on the shoulders and back, it had become exactly like a sieve. The cloth was so threadbare that it was transparent, and the lining was in shreds.

It should be understood that Akaky Akakyevitch's coat was a source of amusement to the other clerks. They even deprived it of the honoured name of greatcoat and dubbed it a dressing gown. And it did really have a peculiar shape. With each year the collar became smaller and smaller as it was used for patching other parts of the coat. These patches could not boast of a tailor's workmanship, and really looked ill-done and ugly.

On seeing what was the matter, Akaky Akakyevitch decided that the coat must be taken to Petrovitch, the tailor, who lived somewhere on the fourth floor up a back staircase, but who, in spite of his one eye and pock-marks all over his face, was quite good at repairing trousers and coats for officials and others. That is, when he was sober and his head was not taken up with some other enterprise.

There is, of course, no need to say very much about this tailor, but as it is usual for the character of every individual in a story to be clearly defined,

означен, то, нечего делать, подавайте нам и Петровича сюда.

Сначала он назывался просто Григорий и был крепостным человеком у какого-то барина; Петровичем он начал называться с тех пор, как получил отпускную[1] и стал попивать довольно сильно по всяким праздникам, сначала по большим, а потом, без разбору, по всем церковным, где только стоял в календаре крестик. С этой стороны он был верен дедовским обычаям и, споря с женой, называл её мирскою женщиной и немкой. Так как мы уже заикнулись про жену, то нужно будет и о ней сказать слова два; но, к сожалению, о ней немного было известно, разве только то, что у Петровича есть жена, носит даже чепчик, а не платок; но красотою, как кажется, она не могла похвастаться; по крайней мере, при встрече с нею, одни только гвардейские солдаты заглядывали ей под чепчик, моргнувши усом и испустивши какой-то особый голос.

Взбираясь по лестнице, ведшей к Петровичу, которая, надобно отдать справедливость, была вся умащена водой, помоями и проникнута насквозь тем спиртуозным запахом, который ест глаза и, как известно, присутствует неотлучно на всех чёрных лестницах петербургских домов, — взбираясь по лестнице, Акакий Акакиевич уже подумывал о том, сколько запросит Петрович, и мысленно положил не давать больше двух рублей.

---

[1] То есть был из крепостных отпущен на волю.

we cannot do otherwise than have Petrovitch here as well.

At first he was known simply as Gregory, and was then the serf of some nobleman. He started to call himself Petrovitch after he was freed,[1] when he began to drink heavily on all holidays—at first only on the important ones, and later, without distinction, on all Church days, whichever were marked with a little cross on the calendar. On this point he was faithful to the tradition of his forefathers, and when arguing with his wife would call her an irreligious woman and a German. As we have mentioned the wife, we must say a word or two about her as well. Unfortunately, very little is known about her, beyond that Petrovitch had a wife who wore a mobcap instead of a kerchief. It would seem that she had no claim to beauty. At any rate, it was only guardsmen who, on meeting her, would peer under her cap, twirling their whiskers and murmuring in a special voice.

While climbing the stairs leading to Petrovitch, which to give them their due were soaked with water and slops, and permeated with that smell of alcohol which hurts the eyes, but, as is well known, is always present on the back stairs in St Petersburg houses,—while climbing these stairs Akaky Akakyevitch was already wondering how much Petrovitch might charge, and had mentally decided not to give more than two roubles.

[1] That is : was set free from serfdom.

ШИНЕЛЬ

Дверь была отворена, потому что хозяйка, готовя какую-то рыбу, напустила столько дыму в кухне, что нельзя было видеть даже и самых тараканов. Акакий Акакиевич прошёл через кухню, незамеченный даже самою хозяйкою, и вступил, наконец, в комнату, где увидел Петровича, сидевшего на широком деревянном некрашеном столе и подвернувшего под себя ноги свои, как турецкий паша.

Ноги, по обычаю портных, сидящих за работою, были нагишом. И прежде всего бросился в глаза большой палец, очень известный Акакию Акакиевичу, с каким-то изуродованным ногтем, толстым и крепким, как у черепахи череп. На шее у Петровича висел моток шёлку и ниток, а на коленях была какая-то ветошь. Он уже минуты с три продевал нитку в иглиное ухо, не попадал и потому очень сердился на темноту и даже на самую нитку, ворча вполголоса: «Не лезет, варварка; уела ты меня, шельма этакая!» Акакию Акакиевичу было неприятно, что он пришёл именно в ту минуту, когда Петрович сердился: он любил что-либо заказывать Петровичу тогда, когда последний был уже несколько под куражем, или, как выражалась жена его, «осадился сивухой, одноглазый чорт». В таком состоянии Петрович, обыкновенно, очень охотно уступал и соглашался, всякий раз даже кланялся и благодарил. Потом, правда, приходила жена, плачась, что муж-де был пьян и потому дёшево

The door was open, as the mistress in preparing some fish had let so much smoke into the kitchen that you could not even see the cockroaches. Akaky Akakyevitch went through the kitchen unnoticed even by the mistress herself, and at last entered a room where he saw Petrovitch sitting on a wide, unpainted wooden table, with his legs folded under him, like a Turkish pasha.

As customary with tailors sitting at work, his feet were bare, and the first thing that caught one's eye was the big toe, well known to Akaky Akakyevitch, with the deformed nail, thick and hard as a turtle-shell. A skein of silk and thread was hanging round Petrovitch's neck, and there was some old clothing on his knee. He had, for about three minutes, been trying to pass the thread through the eye of the needle, but he couldn't manage it, and he was therefore very annoyed with the darkness and with the thread itself, mumbling under his breath, "It won't go in, the beast. You are tiring me out, wretch that you are!" Akaky Akakyevitch felt uncomfortable at having come just when Petrovitch was annoyed. He preferred to give Petrovitch an order when the latter was slightly drunk, or as his wife put it, "he is in the grip of the brandy, the one-eyed demon." When in such a condition Petrovitch was usually very willing to concede and give way, he even bowed and expressed thanks. True, the wife would then come always grumbling that the husband was drunk and had charged too little, but in that case a ten kopeck

взя́лся; но гри́венник, быва́ло, оди́н приба́вишь и де́ло в шля́пе.

Тепе́рь же Петро́вич был, каза́лось, в тре́звом состоя́нии, а потому́ крут, несгово́рчив и охо́тник зала́мывать чорт зна́ет каки́е це́ны. Ака́кий Ака́киевич смекну́л э́то и хоте́л бы́ло уже́, как говори́тся, на попя́тный двор, но уж де́ло бы́ло на́чато. Петро́вич прищу́рил на него́ о́чень при́стально свой еди́нственный глаз, и Ака́кий Ака́киевич нево́льно вы́говорил: «Здра́вствуй, Петро́вич!»—«Здра́вствовать жела́ю, су́дарь», сказа́л Петро́вич и покоси́л свой глаз на ру́ки Ака́кия Ака́киевича, жела́я вы́смотреть, како́го ро́да добы́чу тот нёс.

«А я вот к тебе́, Петро́вич, того́ . . .» Ну́жно знать, что Ака́кий Ака́киевич изъясня́лся бо́льшею ча́стью предло́гами, наре́чиями и, наконе́ц, таки́ми части́цами, кото́рые реши́тельно не име́ют никако́го значе́ния. Е́сли же де́ло бы́ло о́чень затрудни́тельно, то он да́же име́л обыкнове́ние совсе́м не ока́нчивать фра́зы, так что весьма́ ча́сто, нача́вши речь слова́ми: «Э́то, пра́во, соверше́нно того́ . . .», а пото́м уже́ и ничего́ не бы́ло, и сам он позабыва́л, ду́мая, что всё уже́ вы́говорил.

«Что ж тако́е?» сказа́л Петро́вич и обсмотре́л в то же вре́мя свои́м еди́нственным гла́зом весь вицмунди́р его́, начина́я с воротника́ до рукаво́в, спи́нки, фалд и петле́й, что́ всё бы́ло ему́ о́чень знако́мо, потому́ что бы́ло со́бственной его́ рабо́ты. Тако́в уж обы́чай у портны́х; э́то пе́рвое, что он де́лает при встре́че.

piece would be added and the whole business settled.

Now, however, Petrovitch seemed to be sober and therefore stubborn, difficult, and prepared to charge the devil alone knew what price. Akaky Akakyevitch grasped all that and already wished he were, as the saying goes, on the other side of the door, but the business had already started. Petrovitch screwed up his one eye and looked at him fixedly, and Akaky Akakyevitch involuntarily said, " Good day, Petrovitch." " I wish you good day, sir," said Petrovitch, and fixed his eye on Akaky Akakyevitch's hand, wanting to see what prize he was carrying.

" I've come to you, Petrovitch, so . . ." It must be explained that Akaky Akakyevitch generally spoke in prepositions and adverbs, and even used particles which had no meaning at all. If the business was very involved he had the habit of not completing his sentence ; he quite often began his speech with the words " This, really, is quite so . . ." and then nothing more, so that he himself forgot, believing he had already said everything.

" What is this ? " asked Petrovitch, and with his one eye examined the uniform, from the collar to the sleeves, the back, the flaps, and the buttonholes, all of which was very familiar to him as it was his own work. It is a habit tailors have. It is the first thing a tailor does on meeting one.

ШИНЕЛЬ

«А я вот того, Петрович . . . шине́ль-то, сукно́ . . . вот ви́дишь, везде́ в други́х места́х совсе́м кре́пкое, оно́ немно́жко запыли́лось и ка́жется, как бу́дто ста́рое, а оно́ но́вое, да вот то́лько в одно́м ме́сте немно́го того́ . . . на спине́, да ещё вот на. плече́ одно́м немно́жко попротерло́сь, да вот на э́том плече́ немно́жко— ви́дишь, вот и всё. И рабо́ты немно́го . . .»

Петро́вич взял капо́т, разложи́л его́ снача́ла на стол, рассма́тривал до́лго, покача́л голово́ю и поле́з руко́ю на окно́ за кру́глой таба́ке́ркой с портре́том како́го-то генера́ла, како́го и́менно, неизве́стно, потому́ что ме́сто, где находи́лось лицо́, бы́ло про́ткнуто па́льцем и пото́м закле́ено четвероуго́льным лоскуто́чком бума́жки. Поню́хав табаку́, Петро́вич расто-пы́рил капо́т на рука́х и рассмотре́л его́ про́тив све́та, и опя́ть покача́л голово́ю; пото́м обрати́л его́ подкла́дкой вверх и вновь покача́л, вновь снял кры́шку с генера́лом, закле́енным бума́жкой, и, натащи́вши в нос табаку́, закры́л, спря́тал табаке́рку и, наконе́ц, сказа́л: «Нет, нельзя́ попра́вить: худо́й гардеро́б!»

У Ака́кия Ака́киевича при э́тих слова́х ёкнуло се́рдце. «Отчего́ же нельзя́, Петро́вич?», сказа́л он почти́ умоля́ющим го́лосом ребёнка: «ведь то́лько всего́, что на плеча́х поисте́рлось, ведь у тебя́ есть же каки́е-нибудь кусо́чки. . . .»

«Да кусо́чки-то мо́жно найти́, кусо́чки найду́тся», сказа́л Петро́вич: «да наши́ть-то нельзя́: де́ло совсе́м гнило́е, тро́нешь игло́й—а вот уж оно́ и ползёт».

20

" Well, Petrovitch, I'm here for . . . this greatcoat . . . the cloth . . . well, you see, everywhere
else it is quite strong. It is a little dusty and
looks as if it is old, but it is new, and only in one
place it is just a trifle so . . . at the back, also on
one shoulder it is slightly threadbare. Just on this
shoulder a little, you see, and that's all. It's not
much work. . . ."

Petrovitch took the ' dressing gown ', laid it out
first on the table, examined it for a long time, shook
his head, and stretched his hand out to the window
for a round snuff-box with the portrait of some
general (exactly which one is not known because the
place where his face was had been pressed in by the
finger and a square piece of paper glued over it).
Having taken a pinch of snuff, Petrovitch spread the
coat out over his arms and held it up to the light,
once more shook his head : then he turned it lining
upward, again shook his head, again lifted the lid
with the general on it pasted over with paper, and
stuffing snuff up his nose, he closed the snuff-box,
put it away, and said at last, " No, this can't be
repaired, it is a poor garment."

At these words Akaky Akakyevitch's heart gave
a jump. " Why not, Petrovitch ? " he asked almost
in the plaintive voice of a child. " It is only worn
out on the shoulders, surely you have some little
pieces . . . "

" Yes," said Petrovitch, " pieces can be found ;
pieces there are, but they can't be sewn on. The
whole thing is rotten ; touch it with a needle . . .
and it will fall to pieces."

ШИНЕЛЬ

«Пусть ползёт, а ты тотчас заплаточку».

«Да заплаточки не на чём положить, укрепиться ей не за что, подержка больно велика. Только слава что сукно, а подуй ветер, так разлетится».

«Ну, да уж прикрепи. Как же этак, право, того! . . .»

«Нет», сказал Петрович решительно : «ничего нельзя сделать. Дело совсем плохое. Уж вы лучше, как · придёт зимнее холодное время, наделайте себе из неё онучек,, потому что чулок не греет. Это немцы выдумали, чтобы побольше себе денег забирать (Петрович любил при случае кольнуть немцев) ; а шинель уж, видно, вам придётся новую делать».

При слове «новую» у Акакия Акакиевича затуманило в глазах, и всё, что ни было в комнате, так и пошло пред ним путаться. Он видел ясно одного только генерала с заклеенным бумажкой лицом, находившегося на крышке Петровичевой табакерки. «Как же новую?» сказал он, всё ещё как будто находясь во сне : «ведь у меня и денег на это нет».

«Да, новую», сказал с варварским спокойствием Петрович.

«Ну, а если бы пришлось новую, как бы она того. . . .»

«То есть, что будет стоить ?»

«Да».

«Да три полсотни слишком надо будет при-

" Let it fall to pieces, and you will patch it up right away."

" Yes, but there is nothing on which to put the patches, nothing to which to attach them—the wear has been too great. It is only cloth in name—one puff of wind and it will fall apart."

" But do strengthen it. Really in some way or other ! "

" No," said Petrovitch firmly. " Nothing can be done. The thing is quite hopeless. Better make yourself some puttees out of it when the cold winter weather comes, for the socks are not warm. It was the Germans who invented them so as to grab more money for themselves." (Petrovitch liked to take a dig at the Germans at every opportunity.) " But it is clear that you must have a new greatcoat made."

At the word " new " a mist rose before Akaky Akakyevitch's eyes, and everything in the room began to get hazy. The only thing that he could see clearly was the general with the paper stuck over his face on the lid of Petrovitch's snuff-box. " What do you mean by a new one ? " he said, still as if in a daze. " But I have no money for that."

" Yes," said Petrovitch with callous calm, " a new one."

" Well, and if it came to a new one, how would it . . ."

" You mean, what will it cost ? "

" Yes."

" Well, over three fifties would definitely have

ложи́ть», сказа́л Петро́вич и сжал при э́том значи́тельно гу́бы. Он о́чень люби́л си́льные эффе́кты, люби́л вдруг ка́к-нибудь озада́чить соверше́нно и пото́м погляде́ть и́скоса, каку́ю озада́ченный сде́лает ро́жу по́сле таки́х слов.

«Полтора́ста рубле́й за шине́ль!» вскри́кнул бе́дный Ака́кий Ака́киевич, вскри́кнул, мо́жет быть, в пе́рвый раз о́т роду, и́бо отлича́лся всегда́ ти́хостью го́лоса.

«Да-с», сказа́л Петро́вич: «да ещё какова́ шине́ль. Е́сли положи́ть на воротни́к куни́цу, да пусти́ть капишо́н на шёлковой подкла́дке, так и в две́сти войдёт».

«Петро́вич, пожа́луйста», говори́л Ака́кий Ака́киевич умоля́ющим го́лосом, не слы́ша и не стара́ясь слы́шать ска́занных Петро́вичем слов и всех его́ эффе́ктов: «ка́к-нибудь попра́вь, что́бы хоть ско́лько-нибудь ещё послужи́ла».

«Да нет, э́то не вы́йдет: и рабо́ту убива́ть, и де́ньги по́пусту тра́тить», сказа́л Петро́вич, и Ака́кий Ака́киевич по́сле таки́х слов вы́шел соверше́нно уничто́женный. А Петро́вич, по ухо́де его́, до́лго ещё стоя́л, значи́тельно сжа́вши гу́бы и не принима́ясь за рабо́ту, бу́дучи дово́лен, что и себя́ не урони́л, да и портно́го иску́сства то́же не вы́дал.

Вы́шед на у́лицу, Ака́кий Ака́киевич был как во сне. «Э́таково-то де́ло э́такое», говори́л он сам себе́: «я, пра́во, и не ду́мал, чтобы оно́ вы́шло того́ . . .», а пото́м, по́сле не́которого молча́ния, приба́вил: «так вот как! наконе́ц, вот что вы́шло, а я, пра́во, совсе́м и предпо-

to be paid," said Petrovitch, and pressed his lips together meaningly. He was very fond of dramatic effects. He liked to bewilder people suddenly and completely, and then look sideways to see what face the perplexed person would make at such words.

" A hundred and fifty roubles for a coat ! " screamed poor Akaky Akakyevitch, and he screamed perhaps for the first time in his life, as he was always noted for the quietness of his voice.

" Yes," said Petrovitch, " and what a coat ! If marten is put on the collar as well as a hood lined with silk, it would even come to two hundred."

" Please, Petrovitch," said Akaky Akakyevitch in a pleading voice, not hearing or trying to hear Petrovitch's words and all his effects, " mend it somehow so that it can serve a little longer."

" No, that can't be done ; the work will be no good and the money wasted," said Petrovitch, after which words Akaky Akakyevitch left, absolutely crushed. After his departure Petrovitch stood still for a long time, his lips screwed up meaningly and not resuming his work, satisfied that not only had he not lowered himself, but that he had not let the tailoring craft down.

Akaky Akakyevitch came out into the street as though he were walking in his sleep. " What a business this is," he said to himself. " I really did not think it would turn out like this." And after a short pause he added, " So that's that ; that's how it has turned out. I really could never have

лага́ть не мог, что́бы оно́ бы́ло э́так». За сим после́довало опя́ть до́лгое молча́ние, по́сле кото́рого он произнёс: «Так э́так-то! вот како́е уж, то́чно, ника́к неожи́данное, того́ . . . э́того бы ника́к . . . э́такое-то обстоя́тельство!» Сказа́вши э́то, он вме́сто того́, что́бы итти́ домо́й, пошёл соверше́нно в проти́вную сто́рону, сам того́ не подозрева́я.

Доро́гою заде́л его́ всем нечи́стым свои́м бо́ком трубочи́ст и вы́чернил всё плечо́ ему́; це́лая ша́пка и́звести вы́сыпалась на него́ с верху́шки стро́ившегося до́ма. Он ничего́ э́того не заме́тил, и пото́м уже́, когда́ натолкну́лся на бу́дочника, кото́рый, поста́вя о́коло себя́ свою́ алеба́рду, натря́хивал из рожка́[1] на мозо́листый кула́к табаку́, тогда́ то́лько немно́го очну́лся, и то потому́, что бу́дочник сказа́л: «Чего́ ле́зешь в са́мое ры́ло, ра́зве нет тебе́ трухтуа́ра?» Э́то заста́вило его́ огляну́ться и повороти́ть домо́й. Здесь то́лько он на́чал собира́ть мы́сли, уви́дел в я́сном и настоя́щем ви́де своё положе́ние, стал разгова́ривать с собо́ю уже́ не отры́висто, но рассуди́тельно и открове́нно, как с благоразу́мным прия́телем, с кото́рым мо́жно поговори́ть о де́ле са́мом серде́чном и бли́зком. «Ну, нет», сказа́л Ака́кий Ака́киевич: «тепе́рь с Петро́вичем нельзя́ толкова́ть: он тепе́рь того́, жена́, ви́дно, ка́к-нибудь поколоти́ла его́.

А вот я лу́чше приду́ к нему́ в воскре́сный день у́тром: он по́сле кану́нешней суббо́ты бу́дет коси́ть гла́зом и заспа́вшись, так ему́ ну́жно

Из табаке́рки, сде́ланной из воло́вьего, пусто́го внутри́, ро́га.

imagined that it would be like this "; and then followed another lengthy silence, after which he said, " So that's how it is. Really, quite unexpected . . . it should be like that. . . . What a situation ! " Having said this, instead of going homeward he went, without suspecting it, in quite the opposite direction.

On the way a chimney sweep knocked against him with his dirty side and blackened his shoulder ; a whole lot of lime was upset over him from the top of a house that was being built. He noticed nothing of this, and only later when he knocked against a policeman who had put his halberd down near by and was emptying some snuff from his horn snuff-box [1] onto his horny fist, did he come to himself somewhat, and then only when the policeman said, " Why do you push right into my face ? Isn't the pavement enough for you ? " That made him look round and turn homeward. Only then did he begin to collect his wits and to get a clear and actual idea of his position. He began to speak to himself —not jerkily any more, but sensibly and frankly as to a reasonable friend with whom it was possible to discuss the most intimate and personal matter. " No," said Akaky Akakyevitch, " it's not possible to speak to Petrovitch now. His wife has probably given him a thrashing.

" I had better go to him on Sunday morning. After the Saturday evening he will be squint-eyed and having overslept he will have to have another

---

[1] From a snuff-box, made from a hollow ox-horn.

будет опохмелиться, а жена денег не даст, а в это время я ему гривенничек и того, в руку, он и будет сговорчивее, и шинель тогда и того . . .» Так, рассудил сам с собою Акакий Акакиевич, ободрил себя и дождался первого воскресенья, и, увидев издали, что жена Петровича куда-то выходила из дому, он прямо к нему. Петрович, точно, после субботы сильно косил глазом, голову держал к полу и был совсем заспавшись; но при всём том, как только узнал, в чём дело, точно как будто его чорт толкнул. «Нельзя», сказал: «извольте заказать новую».

Акакий Акакиевич тут-то и всунул ему гривенничек. «Благодарствую, сударь, подкреплюсь маленечко за ваше здоровье» сказал Петрович: «а уж об шинели не извольте беспокоиться: она ни на какую годность не годится. Новую шинель уж я вам сошью на славу, уж на этом постоим».

Акакий Акакиевич ещё было насчёт починки, но Петрович не дослышал и сказал: «Уж новую я вам сошью беспременно, в этом извольте положиться, старанье приложим. Можно будет даже так, как пошла мода, воротник будет застёгиваться на серебряные лапки под аплике».

Тут-то увидел Акакий Акакиевич, что без новой шинели нельзя обойтись, и поник совершенно духом. Как же в самом деле, на что, на какие деньги её сделать? Конечно, можно бы отчасти положиться на будущее награждение к

drink to get over it, but his wife will not give him
any money, and at that moment I will give him ten
kopecks, and with that in his hand he will be more
agreeable, and the coat will therefore . . ." Thus
Akaky Akakyevitch reasoned with and encouraged
himself. He waited for the next Sunday morning
and, seeing from a distance that Petrovitch's wife
was leaving the house, he went straight to him.
Petrovitch was, as usual after the Saturday, squinting
dreadfully, and his head was bowed down to the
ground and he was quite heavy with sleep ; but in
spite of all this, as soon as he understood what it was
about he said, just as if the Devil had jogged him,
" Impossible, you will have to order a new one."

Akaky Akakyevitch here slipped him the ten
kopeck piece. " Thank you, sir. I will fortify
myself with a little one to your health," said
Petrovitch, " and you need not worry about the old
overcoat any more, as it is no good at all. I'll make
your new coat first-rate, I'll see to that."

Akaky Akakyevitch was still saying something
about repairs, but Petrovitch, not having listened to
the end, said " I'll make you a new one without fail,
and you can rely on me to do my very best. It may
possibly even be in the latest fashion. The collar
will be fastened with plated silver clasps."

Akaky Akakyevitch saw that he couldn't get away
except with a new coat, and lost heart completely,
for after all how . . . with what money could it be
done ? It might, of course, be derived partly from
the next holiday bonus, but this money had already

празднику, но эти деньги давно уже размещены и распределены вперёд. Требовалось завести новые панталоны, заплатить сапожнику старый долг за приставку новых головок к старым голенищам, да следовало заказать швее три рубахи, да штуки две того белья, которое неприлично называть в печатном слоге, словом: все деньги совершенно должны были разойтися, и если бы даже директор был так милостив, что, вместо сорока рублей наградных, определил бы сорок пять или пятьдесят, то всё-таки останется какой-нибудь самый вздор, который в шинельном капитале будет капля в море.

Хотя, конечно, он знал, что за Петровичем водилась блажь заломить вдруг чорт знает какую непомерную цену, так что уж бывало сама жена не могла удержаться, чтобы не вскрикнуть: «Что ты, с ума сходишь, дурак такой! В другой раз ни за что возьмёт работать, а теперь разнесла его нелёгкая запросить такую цену, какой и сам не стоит».

Хотя, конечно, он знал, что Петрович за восемьдесят рублей возьмётся сделать; однако, всё же, откуда взять эти восемьдесят рублей? Ещё половину можно бы найти: половина бы отыскалась, может быть, даже немножко и больше; но где взять другую половину? . . .

Но прежде читателю должно узнать, где взялась первая половина. Акакий Акакиевич имел обыкновение со всякого истрачиваемого рубля откладывать по грошу в небольшой ящичек запертый на ключ, с прорезанною

been disposed of and distributed in advance. It had been necessary to order new trousers, to pay the bootmaker an old debt for vamping old boot-tops. Then he had to order three new shirts from the sewing-woman and two pieces of that underwear which it is not polite to mention in print—in brief, all the money due to him was accounted for, and even if the director were so generous and, instead of the forty roubles bonus, were to increase it to forty-five or fifty, there would still only be left the merest trifle, which would only be a drop in the ocean towards the sum needed for the greatcoat.

He knew, of course, that Petrovitch had a caprice for demanding suddenly the Devil only knew what excessive price, so that his wife even could not restrain herself from screaming, " Another time he will do the work for nothing at all, and now the Devil has got him to demand such a price that he isn't worth as much himself ! "

Although, of course, he knew that Petrovitch would undertake the work for eighty roubles, all the same where could he get eighty roubles from ? Half he might yet manage ; half, perhaps, could be found, and even a little more, maybe, but where get the other half ?

But first the reader must know how the first half was obtained. Akaky Akakyevitch had the habit, for every rouble spent, of putting a farthing into a little box which was kept locked and had a slit

в крышке дырочкой для бросания туда денег. По истечении всякого полугода он ревизовал накопившуюся медную сумму и заменял её мелким серебром. Так прододжал он с давних пор, и таким образом, в продолжение нескольких лет оказалось накопившейся суммы более, чем на сорок рублей. Итак, половина была в руках; но где же взять другую половину? где взять другие сорок рублей?

Акакий Акакиевич думал-думал и решил, что нужно будет уменьшить обыкновенные издержки, хотя по крайней мере в продолжение одного года: изгнать употребление чаю по вечерам, не зажигать по вечерам свечи, а если что понадобится делать, итти в комнату к хозяйке и работать при её свечке; ходя по улицам, ступать как можно легче и осторожнее по камням и плитам, почти на цыпочках, чтобы таким образом не истереть скоровременно подмёток; как можно реже отдавать прачке мыть бельё, а чтобы не занашивалось, то всякий раз, приходя домой, скидать его и оставаться в одном только демикотоновом халате, очень давнем и щадимом даже самым временем.

Надобно сказать правду, что сначала ему было несколько трудно привыкать к таким ограничениям, но потом как-то привыклось и пошло на лад; даже он совершенно приучился голодать по вечерам; но зато он питался духовно, нося в мыслях своих вечную идею будущей шинели. С этих пор как будто самое существование его сделалось как-то полнее, как

cut in the lid through which to drop the money. At the end of every half-year he counted the collection of coppers and changed it into small silver coins. This he had been doing for a long time, and in the course of several years he had, it appeared, in this way accumulated a sum of over forty roubles. And so half was in hand, but how to get hold of the other half, where would he get the other forty roubles ?

Akaky Akakyevitch thought and thought and decided that he would have to reduce his usual expenditure for one year at least—do away with the habit of tea in the evening, not light candles at night, and if there was something he needed to do, to go to the landlady's room and work there by her candle ; when walking in the street to step as lightly and carefully as possible on the stones and paving blocks, practically on tiptoe, and in that way not wear his soles out so quickly ; give his linen as rarely as possible to the washerwoman and, in order not to get it too dirty, always when at home to take it off and wear only a very old fustian dressing-gown, on which even time itself had taken pity.

To be frank, he found it difficult at first to get used to these restrictions, but then he did get used to it somehow, and things went better. He even trained himself to go without food in the evenings, but on the other hand he was getting spiritual nourishment, carrying in his mind perpetually the thought of his new coat. From that time it seemed as if his very existence had become richer, as if he had

бу́дто бы он жени́лся, как бу́дто како́й-то друго́й
челове́к прису́тствовал с ним, как бу́дто он
был не оди́н, а кака́я-то прия́тная подру́га
жи́зни согласи́лась с ним проходи́ть вме́сте
жи́зненную доро́гу,—и подру́га э́то была́ не кто
друга́я, как та же шине́ль на то́лстой ва́те, на
кре́пкой подкла́дке без изно́су. Он сде́лался
ка́к-то живе́е, да́же тве́рже хара́ктером, как
челове́к, кото́рый уже́ определи́л и поста́вил
себе́ цель.

С лица́ и с посту́пков его́ исче́зло само́ собо́ю
сомне́ние, нереши́тельность, сло́вом—все коле́-
блющиеся и неопределённые черты́. Ого́нь
поро́ю пока́зывался в глаза́х его́, в голове́ да́же
мелька́ли са́мые де́рзкие и отва́жные мы́сли: не
положи́ть ли, то́чно, куни́цу на воротни́к.
Размышле́ния об э́том чуть не навели́ на него́
рассе́янности. Оди́н раз, перепи́сывая бума́гу,
он чуть бы́ло да́же не сде́лал оши́бки, так что
почти́ вслух вскри́кнул: «ух!» и перекрести́лся.

В продолже́ние ка́ждого ме́сяца он, хотя́
оди́н раз, наве́дывался к Петро́вичу, чтобы пого-
вори́ть о шине́ли, где лу́чше купи́ть сукна́, и
како́го цве́та, и в каку́ю це́ну, и хотя́ не́сколько
озабо́ченный, но всегда́ дово́льный возвраща́лся
домо́й, помышля́я, что, наконе́ц, придёт же
вре́мя, когда́ всё э́то ку́пится и когда́ шине́ль
бу́дет сде́лана.

Де́ло пошло́ да́же скоре́е, чем он ожида́л.
Проти́ву вся́кого ча́яния, дире́ктор назна́чил
Ака́кию Ака́киевичу не со́рок и́ли со́рок пять,
а це́лых шестьдеся́т рубле́й: уж предчу́вствовал

married ; as if some one else were with him and he were not alone, but some congenial companion had agreed to go along life's road with him— and this friend was none other than the greatcoat with thick wadding and a strong lining that would never wear out. He became more animated, even firmer in character, like a man who had defined and fixed his goal.

All traces of vagueness and indecision disappeared of their own accord from his face and actions—in a word, all the vague and indefinite characteristics. At times his eyes lit up and the most daring and extraordinary thoughts flashed through his mind. " And perhaps really put marten on the collar ? " Thinking of this made him almost careless. Once, while copying a paper, he very nearly made a mistake, so that he nearly exclaimed " Ugh " aloud, and crossed himself.

He called on Petrovitch at least once every month to have a chat about the greatcoat—where it would be best to buy the cloth, what colour, and at what price—and though somewhat worried, would always be pleased when he got home, thinking that at last the time would really come when everything was bought and the coat would be ready.

The matter went even quicker than he had expected. Contrary to all expectations, the director assigned to Akaky Akakyevitch the sum of sixty roubles instead of the forty or forty-five. Did the

ли он, что Акакию Акакиевичу нужна шинель, или само собой так случилось, но только у него чрез это очутились лишних двадцать рублей. Это обстоятельство ускорило ход дела. Ещё каких-нибудь два три месяца небольшого голоданья—и у Акакия Акакиевича набралось, точно, около восьмидесяти рублей. Сердце его, вообще весьма покойное, начало биться. В первый же день он отправился вместе с Петровичем в лавки. Купил сукна очень хорошего— и не мудрено, потому что об этом думали ещё за полгода прежде и редкий месяц не заходил в лавки применяться к ценам, зато сам Петрович сказал, что лучше сукна и не бывает.

На подкладку выбрали коленкору, но такого добротного и плотного, который, по словам Петровича, был ещё лучше шёлку и даже на вид казистей и глянцевитей. Куницы не купили, потому что была, точно, дорога, а вместо её выбрали кошку, лучшую, какая только нашлась в лавке, кошку, которую издали можно было всегда принять за куницу. Петрович провозился за шинелью всего две недели, потому что много было стеганья, а иначе она была бы готова раньше. За работу Петрович взял двенадцать рублей—меньше никак нельзя было: всё было решительно шито на шелку, двойным мелким швом, и по всякому шву Петрович потом проходил собственными зубами, вытесняя ими разные фигуры.

Это было . . . трудно сказать, в который именно день, но, вероятно, в день самый тор-

director guess that Akaky Akakyevitch was in need of a greatcoat or did it just happen by chance? Anyhow, as a result he had an extra twenty roubles. This circumstance hastened the course of events. Some two or three more months of semi-starvation and Akaky Akakyevitch had accumulated about eighty roubles. His heart, generally so serene, began to palpitate. On the very first day possible he and Petrovitch went to the shops. He bought a very good cloth, and that is not surprising as they had thought about it for the past six months, and rarely a month had gone by without going into the shops to compare prices. Even Petrovitch himself said that a better cloth did not exist.

For the lining they chose calico, but of such quality and thickness that, to quote Petrovitch, it was better and looked more elegant and glossy than silk. They did not buy the marten because it was so dear, but instead they chose cat, the best that could be found in the shop; but cat which from a distance could be taken for marten. Petrovitch took, altogether, two weeks over the coat, and that was because there was so much quilting. Otherwise, it would have been finished earlier. Petrovitch was paid twelve roubles for his work, less being out of the question, as all the sewing was done entirely with silk, and there were fine double seams, and Petrovitch went over every seam afterwards with his own teeth, impressing with them various designs.

It was—it is difficult to say which day, but it was probably the most solemn day of Akaky Akakye-

PETROVITCH SITTING ON A TABLE

THE POLICEMAN LEANING ON HIS HALBERD

жественный в жизни Акакия Акакиевича, когда Петрович принёс, наконец, шинель. Он принёс её поутру, перед самым тем временем, как нужно было итти в департамент. Никогда бы в другое время не пришлась так кстати шинель, потому что начинались уже довольно крепкие морозы и, казалось, грозили ещё более усилиться. Петрович явился с шинелью, как следует хорошему портному. В лице его показалось выражение такое значительное, какого Акакий Акакиевич никогда ещё не видал. Казалось, он чувствовал в полной мере, что сделал не малое дело и что вдруг показал в себе бездну, разделяющую портных, которые подставляют только подкладки и переправляют, от тех, которые шьют заново.

Он вынул шинель из носового платка, в котором её принёс : платок был только что от прачки ; он уже потом свернул его и положил в карман для употребления. Вынувши шинель, он весьма гордо посмотрел и, держа в обеих руках, набросил весьма ловко на плечи Акакию Акакиевичу ; потом потянул и осадил её сзади рукой книзу ; потом драпировал ею Акакия Акакиевича несколько нараспашку. Акакий Акакиевич, как человек в летах, хотел попробовать в рукава, Петрович помог надеть и в рукава—вышло, что и в рукава была хороша. Словом, оказалось, что шинель была совершенно и как раз впору.

Петрович не упустил при сём случае сказать, что он так только потому, что живёт без вывески

vitch's life when Petrovitch at last brought the coat.
He brought it in the morning just before it was time
to go to the office. The coat could not have come
more opportunely, as fairly severe frosts were
already starting and it seemed they would become still
more intense. Petrovitch himself appeared with the
coat as a good tailor should, and Akaky Akakyevitch had never before seen such an extraordinary
expression on his face. Evidently he had the
strongest feeling that he had carried out no small
affair, and he had suddenly revealed in himself the
gulf dividing the tailors who only do relinings and
repairs, from those who make new things.

He took the greatcoat out of the handkerchief in
which he had brought it (the handkerchief had only
just come from the wash ; after that he folded it
up and put it into his pocket for ordinary use).
Having taken the coat out, he looked at it extremely
proudly, and holding it in both hands he threw it
very deftly over Akaky Akakyevitch's shoulders,
then pulled it down and smoothed it with his hands ;
then he draped it loosely on Akaky Akakyevitch.
But the latter, like all people of advanced years,
wanted to try it on with the sleeves. Petrovitch
helped him put it on, and even with the sleeves on
it appeared to be satisfactory. In short, it turned
out that the coat fitted absolutely like a glove.
Petrovitch did not let pass this occasion of saying
that it was only because he lived in a mean street

на небольшо́й у́лице и прито́м давно́ зна́ет Ака́кия Ака́киевича, потому́ взял так дёшево, а на Не́вском проспе́кте с него́ бы взя́ли за одну́ то́лько рабо́ту се́мьдесят пять рубле́й. Ака́кий Ака́киевич об э́том не хоте́л рассужда́ть с Петро́вичем, да и боя́лся всех си́льных сумм, каки́ми Петро́вич люби́л запуска́ть пыль. Он расплати́лся с ним, поблагодари́л и вы́шел тут же в но́вой шине́ли в департа́мент.

Петро́вич вы́шел вслед за ним и, остава́ясь на у́лице, до́лго ещё смотре́л и́здали на шине́ль и пото́м пошёл наро́чно в сто́рону, что́бы, обогну́вши криву́м переу́лком, забежа́ть вновь на у́лицу и посмотре́ть ещё раз на свою́ шине́ль с друго́й стороны́, то есть пря́мо в лицо́.

Ме́жду тем Ака́кий Ака́киевич шёл в са́мом пра́здничном расположе́нии всех чувств. Он чу́вствовал вся́кий миг мину́ты, что на плеча́х его́ но́вая шине́ль, и не́сколько раз да́же усмехну́лся от вну́треннего удово́льствия. В са́мом де́ле, две вы́годы: одно́ то, что тепло́, а друго́е, что хорошо́. Доро́ги он не приме́тил во́все и очути́лся вдруг в департа́менте; в швейца́рской он ски́нул шине́ль, осмотре́л её круго́м и поручи́л в осо́бенный надзо́р швейца́ру.

Неизве́стно, каки́м о́бразом в департа́менте все вдруг узна́ли, что у Ака́кия Ака́киевича но́вая шине́ль, и что уже́ капо́та бо́лее не существу́ет. Все в ту́ же мину́ту вы́бежали в швейца́рскую смотре́ть но́вую шине́ль Ака́кия Ака́киевича. На́чали поздравля́ть его́, при-

and had no signboard, and also because he had known Akaky Akakyevitch for a long time, that he charged so cheaply, but on the Nevsky Prospekt he would be charged seventy-five roubles for the work alone. Akaky Akakyevitch did not wish to dispute this with Petrovitch, as he feared the large sums with which Petrovitch liked to dazzle people. He settled with him, thanked him, and went off to the office in the new greatcoat.

Petrovitch followed him out, and in the street he stopped to stare after the coat for quite a long time from a distance ; then he went to one side, so that by turning into a crooked alley he might run out again into the street and get another view of his coat from the other side—that is, right in front.

Akaky Akakyevitch was meanwhile walking along in a most festive mood. Every second of every minute he felt that there was a new greatcoat on his shoulders, and several times he even smiled with inward happiness. For there were, in fact, two advantages. One, that it was warm, and the other, that it was good. He did not notice the distance at all and suddenly found himself at the office. He took off the coat at the porter's lodge, looked at it well all over, and handed it into the porter's special care.

How it happened that every one in the department suddenly got to know that Akaky Akakyevitch had a new greatcoat and that the " dressing-gown " no longer existed, is not known. Every one immediately ran out into the cloakroom to look at Akaky Akakyevitch's new coat. They began to

ветствовать, так что тот сначала только улыбался, а потом сделалось ему даже стыдно. Когда же все, приступив к нему, стали говорить, что нужно вспрыснуть новую шинель, и что, по крайней мере, он должен задать им всем вечер, Акакий Акакиевич потерялся совершенно, не знал, как ему быть, что такое отвечать и как отговориться. Он уже минут через несколько, весь закрасневшись, начал было уверять довольно простодушно, что это совсем не новая шинель, что это так, что это старая шинель.

Наконец, один из чиновников, какой-то даже помощник столоначальника, вероятно, для того, чтобы показать, что он ничуть не гордец и знается даже с низшими себя, сказал: «Так и быть, я вместо Акакия Акакиевича даю вечер, и прошу ко мне сегодня на чай: я же, как нарочно, сегодня именинник». Чиновники, натурально, тут же поздравили помощника столоначальника и приняли с охотою предложение. Акакий Акакиевич начал было отговариваться, но все стали говорить, что неучтиво, что просто стыд и срам, и он уж никак не мог отказаться. Впрочем, ему потом сделалось приятно, когда вспомнил, что он будет иметь чрез то случай пройтись даже и ввечеру в новой шинели.

Этот весь день был для Акакия Акакиевича точно самый большой торжественный праздник. Он возвратился домой в самом счастливом расположении духа, скинул шинель и повесил её

congratulate and welcome him so much that at
first he just smiled, and then he even began to feel
embarrassed. Then they all besieged him, saying
that he ought to wet the new coat and that he should
at least give an evening party for them all. Akaky
Akakyevitch was completely at a loss, not knowing
what to do, what to answer, and how to excuse
himself. After a few minutes, all flushed, he began
rather naively to assure them that it was not a new
coat at all, nothing, the old one.

At last one of the officials—some assistant to one
of the principals—probably in order to show that
he was not at all a proud man and associated
even with his inferiors, said, " Well and good.
Instead of Akaky Akakyevitch, I will give a party,
and will you please come to my place to-day for tea.
It so happens that it is my birthday to-day."
Naturally, the clerks at once congratulated the
assistant to the chief clerk and gladly accepted the
invitation. Akaky Akakyevitch began to make
excuses, but every one said that it was not polite,
that it was a howling shame, and that on no account
could he refuse. Later, however, he felt rather
pleased when he called to mind that he would thus
have an opportunity to wear his new coat even
in the evening.

The whole day was like the most important and
solemn festival for Akaky Akakyevitch. He re-
turned home in the happiest of moods, took off the
coat, and hung it carefully on the wall, once more

бережно на стене, налюбовавшись ещё раз
сукном и подкладкой, и потом нарочно вытащил,
для сравненья, прежний капот свой, совершенно расползшийся. Он взглянул на него, и
сам даже засмеялся: такая была далёкая
разница! И долго ещё потом за обедом он всё
усмехался, как только приходило ему на ум
положение, в котором находился капот. Пообе-
дал он весело и после обеда уж ничего не писал,
никаких бумаг, а так немножко посибарит-
ствовал на постели, пока не потемнело. Потом,
не затягивая дела, оделся, надел на плеча
шинель и вышел на улицу.

Где именно жил пригласивший чиновник, к
сожалению, не можем сказать: память начинает нам сильно изменять, и всё, что ни есть в
Петербурге, все улицы и домы слились и
смешались так в голове, что весьма трудно
достать оттуда что-нибудь в порядочном виде.
Как бы то ни было, но верно по крайней мере то,
что чиновник жил в лучшей части города, стало
быть очень не близко от Акакия Акакиевича.

Сначала надо было Акакию Акакиевичу
пройти кое-какие пустынные улицы с тощим
освещением, но, по мере приближения к квартире
чиновника, улицы становились живее, насе-
лённей и сильнее освещены. Пешеходы стали
мелькать чаще, начали попадаться и дамы,
красиво одетые, на мужчинах попадались боб-
ровые воротники, реже встречались ваньки [1] с
деревянными решётчатыми своими санками,

---

[1] Насмешливое название легковых извозчиков в дореволюционное время.

admiring the cloth and lining, and then purposely
got out the old coat, which was absolutely in shreds,
for comparison. He looked at it and even began
to laugh. What a vast difference there was ! And
long afterwards, at dinner, he went on smiling
whenever he thought of the state of the " old
dressing-gown." He dined cheerfully, but after
dinner he did no writing, left his papers alone, and
stretched himself on his bed, like a lord, till it grew
dark. Then, not to delay matters longer, he
dressed, put the greatcoat on his shoulders, and went
into the street.

Exactly where the official who had invited him
lived, we cannot, unfortunately, say ; our memory
begins to fail fast, and all that is in St Petersburg,
the streets and houses, have so blended and mixed
in one's head that it is quite difficult to get anything out in decent order. However that may be,
one thing at least is certain—the official lived in
the best part of the town, which means not very
near Akaky Akakyevitch.

First of all, Akaky Akakyevitch had to walk
through several desolate streets which were only
dimly illuminated, but as he got nearer to the
official's home the streets became livelier, more
populated, and better illuminated. Pedestrians
began to flit by more often and one began to
meet beautifully dressed ladies. Men were at times
seen with beaver collars. There were fewer shabby
jarvies [1] with wooden open-work sledges studded

---

[1] Jocular title for the old-time cab-drivers.

уты́канными позоло́ченными гвоздочками—напро́тив, всё попада́лись лихачи́ в мали́новых ба́рхатных ша́пках, с лакиро́ванными са́нками, с медве́жьими одея́лами, и пролета́ли у́лицу, визжа́ колёсами по снéгу, каре́ты с у́бранными ко́злами.

Ака́кий Ака́киевич гляде́л на всё э́то, как на но́вость. Он уже́ не́сколько лет не выходи́л по вечера́м на у́лицу. Останови́лся с любопы́тством пе́ред освещённым око́шком магази́на посмотре́ть на карти́ну, где изображена́ была́ кака́я-то краси́вая же́нщина, кото́рая скида́ла с себя́ башма́к, обнажи́вши таки́м о́бразом всю но́гу, о́чень недурну́ю; а за спино́й её, из двере́й друго́й ко́мнаты, вы́ставил го́лову како́й-то мужчи́на с бакенба́рдами и краси́вой эспаньо́лкой под губо́й. Ака́кий Ака́киевич покачну́л голово́й и усмехну́лся, и пото́м пошёл свое́ю доро́гою. Почему́ он усмехну́лся, потому́ ли, что встре́тил вещь во́все незнако́мую, но о кото́рой одна́ко же всё-таки у ка́ждого сохраня́ется како́е-то чутьё, и́ли поду́мал он, подо́бно мно́гим други́м чино́вникам, сле́дующее: «Ну, уж э́ти францу́зы! что и говори́ть, уж е́жели захотя́т что-нибу́дь того́, так уж то́чно того́ . . .» А мо́жет быть, да́же и э́того не поду́мал—ведь нельзя́ же зале́зть в ду́шу челове́ку и узна́ть всё, что он ни ду́мает.

Наконе́ц, дости́гнул он до́ма, в кото́ром квартирова́л помо́щник столонача́льника. Помо́щник столонача́льника жил на большу́ю но́гу: на ле́стнице свети́л фона́рь, кварти́ра была́ во

with gilt nails—on the contrary, all the time one saw smart coachmen in crimson velvet hats, with lacquered sledges and bear rugs. Rushing along the streets, their wheels squeaking in the snow, were carriages with smart coach-boxes.

Akaky Akakyevitch looked at all this as if it were a novelty to him. It was already several years since he had been out in the streets in the evening. With curiosity he stopped in front of an illuminated shop window to look at a picture on which was depicted a beautiful woman who was throwing off her shoe and thus displaying the whole of her leg, by no means a bad one. Behind her a man with a moustache and a beautiful little beard under his chin was sticking his head through the door from another room. Akaky Akakyevitch shook his head, smiled, and then went on his way. Why did he smile ? Was it because he had met something quite unfamiliar, but of which each one of us has retained a keen sense, or did he like many other clerks think, " Really, those French ! It must be said, if they want something then there really is some . . . " ? Perhaps he did not even think that—for surely it is impossible to get inside another person's mind and find out all he is thinking.

At last he reached the house where the principal's assistant lodged. He lived in grand style ; the stairs were lit by a lantern. The flat was on the

второ́м этаже́. Воше́дши в пере́днюю, Ака́кий Ака́киевич уви́дел на полу́ це́лые ряды́ кало́ш. Ме́жду ни́ми, посреди́ ко́мнаты, стоя́л самова́р, шумя́ и испуска́я клуба́ми пар. На стена́х висе́ли всё шине́ли да плащи́, ме́жду кото́рыми не́которые бы́ли да́же с бобро́выми воротника́ми и́ли с ба́рхатными отворо́тами. За стено́й был слы́шен шум и го́вор, кото́рые вдруг сде́лались я́сными и зво́нкими, когда́ отвори́лась дверь и вы́шел лаке́й с подно́сом, уста́вленным опоро́жненными стака́нами, сли́вочником и корзи́ною сухаре́й. Ви́дно, что уж чино́вники давно́ собра́лись и вы́пили по пе́рвому стака́ну ча́ю.

Ака́кий Ака́киевич, пове́сивши сам шине́ль свою́, вошёл в ко́мнату, и пе́ред ним мелькну́ли в одно́ вре́мя све́чи, чино́вники, тру́бки, столы́ для карт, и сму́тно порази́ли слух его́: бе́глый, со всех сторо́н подыма́вшийся разгово́р и шум передвига́емых сту́льев. Он останови́лся весьма́ нело́вко среди́ ко́мнаты, ища́ и стара́ясь приду́мать, что ему́ сде́лать. Но его́ уже́ заме́тили, при́няли с кри́ком, и все пошли́ тот же час в пере́днюю и вновь осмотре́ли его́ шине́ль. Ака́кий Ака́киевич хотя́ бы́ло отча́сти и сконфу́зился, но, бу́дучи челове́ком чистосерде́чным, не мог не пора́доваться, ви́дя, как все похвали́ли шине́ль. Пото́м, разуме́ется, все бро́сили и его́ и шине́ль, и обрати́лись, как во́дится, к стола́м, назна́ченным для ви́ста.

Всё э́то: шум, го́вор и толпа́ люде́й, всё э́то бы́ло как-то чудно́ Ака́кию Ака́киевичу. Он, про́сто, не знал, как ему́ быть, куда́ деть ру́ки,

second floor. On entering the hall he saw whole
rows of goloshes, and near them, in the middle of
the room, stood a samovar simmering and letting
out clouds of steam. Hanging on the wall were
greatcoats and cloaks, some with beaver collars or
velvet lapels. Noise and talk were heard through
the wall, and suddenly got clear and loud as the
door opened and a servant came out carrying a
tray laden with empty glasses, a cream jug, and a
basket of biscuits. Evidently the officials had been
there some time, and had already had their first
glass of tea.

Akaky Akakyevitch hung his coat up himself
and went into the room. There he saw in one
flash candles, officials, pipes, card-tables; and a
confused noise sounded in his ears. Fluent conversation rose from all sides, and there was a clatter
of chairs being moved. He stopped rather awk-
wardly in the middle of the room trying to think
what he should do. But he had already been
noticed and he was received with shouts, and
everybody immediately went into the hall and
again examined his coat. Although embarrassed
to some extent, Akaky Akakyevitch, who was a
simple soul, could not help being pleased at seeing
how they all praised the coat. Then, of course,
every one left him and his coat and went back, as
is the habit, to tables prepared for whist.

The noise, the talk, and the crowd of people—
all this was quite strange to Akaky Akakyevitch.
He simply did not know what to do with his hands

ноги и всю фигу́ру свою́; наконе́ц, подсе́л он к игра́вшим, смотре́л в ка́рты, засма́тривал тому́ и друго́му в ли́ца и че́рез не́сколько вре́мени на́чал зева́ть, чу́вствовать, что ску́чно, тем бо́лее, что уж давно́ наступи́ло то вре́мя, в кото́рое он, по обыкнове́нию, ложи́лся спать. Он хоте́л прости́ться с хозя́ином, но его́ не пусти́ли, говоря́, что непреме́нно на́до вы́пить, в честь обно́вки, по бока́лу шампа́нского. Че́рез час по́дали у́жин, состоя́вший из винегре́та, холо́дной теля́тины, паште́та, конди́терских пирожко́в и шампа́нского. Ака́кия Ака́киевича заста́вили вы́пить два бока́ла, по́сле кото́рых он почу́вствовал, что в ко́мнате сде́лалось веселе́е, одна́кож ника́к не мог позабы́ть, что уже́ двена́дцать часо́в и что давно́ пора́ домо́й.

Что́бы как-нибу́дь не взду́мал уде́рживать хозя́ин, он вы́шел потихо́ньку из ко́мнаты, отыска́л в пере́дней шине́ль, кото́рую не без сожале́ния уви́дел лежа́вшею на полу́, стряхну́л её, снял с неё вся́кую пуши́нку, наде́л на плеча́ и опусти́лся по ле́стнице на у́лицу. На у́лице всё ещё бы́ло светло́. Кое-каки́е ме́лочные лавчо́нки, э́ти бессме́нные клу́бы дворо́вых и вся́ких люде́й, бы́ли о́тперты, други́е же, кото́рые бы́ли за́перты, пока́зывали, одна́ко ж, дли́нную струю́ све́та во всю дверну́ю щель, означа́вшую, что они́ не лишены́ ещё о́бщества и, вероя́тно, дворо́вые служа́нки или слу́ги ещё дока́нчивают свои́ то́лки и разгово́ры, поверга́я свои́х госпо́д в соверше́нное недоуме́ние насчёт своего́ местопребыва́ния.

and feet, or where to put himself. At last he sat down near the players, watching their cards, taking a look at this or that one's face, and after a few minutes began to yawn, to feel that it was boring, particularly as it was already long past his usual bedtime. He wanted to take leave of his host, but they would not let him go, saying they must drink a glass of champagne in honour of the new garment. In an hour supper was served. It consisted of a mixed salad, cold veal, pie and pastries, and champagne. Akaky Akakyevitch was forced to drink two glasses, after which he began to feel that it was gayer in the room, but all the same he could not forget that it was already twelve o'clock and that he should have gone home long ago.

So that his host might not try to stop him, he left the room very quietly, found his coat, which to his regret was lying on the floor, shook it, and removed from it every particle of dust. He then went down the stairs to the street. It was still light in the street. Several small shops, those everlasting meeting-places for house-serfs and people of all kinds, were open. Some which were closed showed a beam of light streaming through the crevices of the doors, which meant that they were not yet empty, that probably the male and female servants were still finishing their gossiping and talk, while their masters had no idea where they were.

ШИНЕЛЬ

Ака́кий Ака́киевич шёл в весёлом расположе́нии ду́ха, да́же побежа́л бы́ло вдруг, неизве́стно почему́, за како́ю-то да́мою, кото́рая, как мо́лния, прошла́ ми́мо и у кото́рой вся́кая часть те́ла была́ испо́лнена необыкнове́нного движе́ния. Но, одна́кож, он тут же останови́лся и пошёл опя́ть попре́жнему о́чень ти́хо, подивя́сь да́же сам неизве́стно отку́да взя́вшейся ры́си.

Ско́ро потяну́лись пе́ред ним те пусты́нные у́лицы, кото́рые да́же и днём не так ве́селы, а тем бо́лее ве́чером. Тепе́рь они́ сде́лались ещё глу́ше и уедине́ннее; фонари́ ста́ли мелька́ть ре́же—ма́сла, как ви́дно, уж ме́ньше отпуска́лось; пошли́ деревя́нные домы́, забо́ры; нигде́ ни души́; сверка́л то́лько оди́н снег по у́лицам, да печа́льно черне́ли с закры́тыми ста́внями засну́вшие ни́зенькие лачу́жки. Он прибли́зился к тому́ ме́сту, где перере́зывалась у́лица бесконе́чною пло́щадью с едва́ ви́дными на друго́й стороне́ её дома́ми, кото́рая гляде́ла стра́шною пусты́нею.

Вдали́, бог зна́ет где, мелька́л огонёк в како́й-то бу́дке, кото́рая каза́лась стоя́вшею на краю́ све́та. Весёлость Ака́кия Ака́киевича как-то здесь значи́тельно уменьши́лась. Он вступи́л на пло́щадь не без како́й-то нево́льной боя́зни, то́чно как бу́дто се́рдце его́ предчу́вствовало что-то недо́брое. Он огляну́лся наза́д и по сторона́м: то́чное мо́ре вокру́г него́. «Нет, лу́чше и не гляде́ть», поду́мал и шёл, закры́в глаза́, и когда́ откры́л их, чтобы узна́ть, бли́зко ли

THE GREATCOAT

Akaky Akakyevitch walked along in a gay mood and even suddenly broke into a run (the reason is not certain) after a lady who flashed by him like lightning, and every part of whose body was filled with unusual movement. However, he stopped and continued to walk on slowly as before, himself amazed at the quick way he had trotted.

Soon there stretched before him the same desolate streets which even in the daytime were not very cheerful, and less so in the evening. Just now they were even more silent and still more lonely. One saw fewer lamps, as evidently the oil was giving out. Wooden houses and fences now appeared, and not a soul anywhere. Only the snow glistened in the streets, and the low, slumbering hovels with closed shutters looked like dismal black spots. He was approaching the spot where the street was cut into by an enormous square, and the houses on the other side were barely visible ; it looked terribly deserted.

In the distance, God knows where, a little fire gleamed in a watch-house which seemed to stand at the edge of the world. Somehow, here, Akaky Akakyevitch's gaiety dimmed perceptibly. He stepped into the square not without some kind of instinctive fear, just as if his heart had a premonition of something evil. He looked back and to each side—just as though there was a sea around him. " No, it is better not to look," he thought, and walked on with his eyes shut. When he opened

конец площади, увидел вдруг, что перед ним
стоят почти перед носом какие-то люди с
усами, какие именно, уж этого он не мог даже
различить.

У него затуманило в глазах и забилось в
груди. «А ведь шинель-то моя!» сказал один
из них громовым голосом, схвативши его за
воротник. Акакий Акакиевич хотел было уже
закричать «караул», как другой приставил ему
к самому рту кулак, величиною в чиновничью
голову, промолвив: «а вот только крикни!»
Акакий Акакиевич чувствовал только, как
сняли с него шинель, дали ему пинка коленом,
и он упал навзничь в снег и ничего уж больше
не чувствовал. Чрез несколько минут он опом-
нился и поднялся на ноги, но уж никого не
было. Он чувствовал, что в поле холодно и
шинели нет, стал кричать, но голос, казалось, и
не думал долетать до концов площади.

Отчаянный, не уставая кричать, пустился он
бежать через площадь прямо к будке, подле
которой стоял будочник и, опершись на свою
алебарду, глядел, кажется, с любопытством,
желая знать, какого чорта бежит к нему издали и
кричит человек. Акакий Акакиевич, прибежав
к нему, начал задыхающимся голосом кричать,
что он спит и ни за чем не смотрит, не видит, как
грабят человека. Будочник отвечал, что он не
видал никого, что видел, как остановили его
среди площади какие-то два человека, да думал,
что то были его приятели, а что пусть он вместо
того, чтобы понапрасну браниться, сходит завтра

them to see whether the end of the square was near he suddenly saw in front of him, right under his nose, some men with whiskers, but he could not even make out what kind of men they were.

His eyes blurred and his heart began to thump. "That is really my coat," one of them said in a thundering voice, catching hold of him by the collar. Akaky Akakyevitch tried to shout "Help!" when another pushed a fist as big as a civil servant's head right into his mouth, saying, "You just try to shout!" Akaky Akakyevitch felt only how they took off his coat and kicked him; then he fell on his back in the snow and felt nothing more. He came to after a few minutes, and got to his feet, but nobody was there. He felt that it was cold in the open without his coat. He began to shout, but his voice would not reach the end of the square.

Desperate, still shouting, he started to run across the square right up to the watch-house where the policeman stood leaning on his halberd, apparently looking on with curiosity and wondering who the devil was running towards him and shouting. Having run up to him, Akaky Akakyevitch began to shout in a gasping voice that the policeman was asleep, and not keeping watch, and did not see how a person was being robbed. The policeman answered that he had not seen anybody; that he had seen two men stop him in the middle of the square, but thought they were his friends; and that instead of abusing him uselessly Akaky Akakye-

к надзирателю, так надзиратель отыщет, кто взял шинель.

Акакий Акакиевич прибежал домой в совершённом беспорядке: волосы, которые ещё водились у него в небольшом количестве на висках и затылке, совершенно растрепались; бок и грудь и все панталоны были в снегу. Старуха, хозяйка квартиры его, услышала страшный стук в дверь, поспешно вскочила с постели и с башмаком на одной только ноге побежала отворять дверь, придерживая на груди своей, из скромности, рукою рубашку, но, отворив, отступила назад, увидя в таком виде Акакия Акакиевича. Когда же рассказал он, в чём дело, она всплеснула руками и сказала, что нужно итти прямо к частному, что квартальный надует, пообещает и станет водить; а лучше всего итти прямо к частному, что он даже ей знаком, потому что Анна, чухонка, служившая прежде у неё в кухарках, определилась теперь к частному в няньки, что она часто видит его самого, как он проезжает мимо их дома, и что он бывает также всякое воскресенье в церкви, молится, а в то же время весело смотрит на всех, и что, стало быть, по всему видно, должен быть добрый человек. Выслушав такое решение, Акакий Акакиевич печальный побрёл в свою комнату, и как он провёл там ночь, предоставляется судить тому, кто может сколько-нибудь представить себе положение другого.

Поутру рано отправился он к частному; но

vitch should go to the Inspector the next day, and the Inspector would find out who had taken the greatcoat.

Akaky Akakyevitch came running home looking thoroughly untidy. His hair, of which he still had some on the temples and at the back, was rumpled, and there was snow on his back, on his chest, and all over his trousers. The old woman, his landlady, on hearing a terrific knocking at the door jumped hurriedly out of bed, with a shoe on only one foot, and ran to open the door, modestly holding her chemise over her bosom with her hand. When she opened the door she stepped back at seeing Akaky Akakyevitch in such a state.

When he told her what had happened she wrung her hands and said he must go straight to the regional Inspector ; that the local Inspector would deceive him, he would promise and start leading him on ; that it was best of all to go direct to the regional Inspector, whom she even knew, because Anna, the Finnish girl who had worked for her as cook, was now nanny at the Inspector's ; that she often saw him personally as he drove past the house and that he came to church every Sunday to pray, and at the same time he looked at everybody very cheerfully ; so that it was, therefore, obvious from all this that he must be a kind man. After listening to this solution Akaky Akakyevitch went off sadly to his room, and how he spent the night there can be guessed only by those who are capable of imagining the position of others.

Early in the morning he went to the regional

сказа́ли, что спит; он пришёл в де́сять—сказа́ли
опя́ть: спит; он пришёл в оди́ннадцать часо́в
—сказа́ли: да нет ча́стного до́ма; он в обе́ден-
ное вре́мя—но писаря́ в прихо́жей ника́к не
хоте́ли пусти́ть его́ и хоте́ли непреме́нно узна́ть,
за каки́м де́лом и кака́я на́добность привела́, и
что тако́е случи́лось. Так что, наконе́ц, Ака́-
кий Ака́киевич раз в жи́зни хоте́л показа́ть
хара́ктер и сказа́л наотре́з, что ему́ ну́жно
ли́чно ви́деть самого́ ча́стного, что они́ не сме́ют
его́ не допусти́ть, что он пришёл из департа́-
мента за казённым де́лом, а что вот как он на
них пожа́луется, так вот тогда́ они́ уви́дят.

Про́тив э́того писаря́ ничего́ не посме́ли
сказа́ть, и оди́н из них пошёл вы́звать ча́стного.
Ча́стный при́нял как-то чрезвыча́йно стра́нно
расска́з о граби́тельстве шине́ли. Вме́сто того́,
чтобы обрати́ть внима́ние на гла́вный пункт де́ла,
он стал расспра́шивать Ака́кия Ака́киевича: да
почему́ он так по́здно возвраща́лся, да не
заходи́л ли он и не́ был ли в како́м непоря́дочном
до́ме, так что Ака́кий Ака́киевич сконфу́зился
соверше́нно и вы́шел от него́, сам не зна́я, возы-
ме́ет ли надлежа́щий ход де́ло о шине́ли, и́ли
нет.

Весь э́тот день он не́ был в прису́тствии (еди́н-
ственный слу́чай в его́ жи́зни). На друго́й день
он яви́лся весь бле́дный в ста́ром капо́те своём,
кото́рый сде́лался ещё плаче́внее. Повество-
ва́ние о грабеже́ шине́ли, несмотря́ на то, что
нашли́сь таки́е чино́вники, кото́рые не пропу-
сти́ли да́же и тут посмея́ться над Ака́кием Ака́-

Inspector, but they said he was still asleep. He came at ten o'clock and again they said, " He is asleep." He went at eleven o'clock and was told, " The Inspector is not at home." At lunch-time the clerks in the ante-room did not want to let him in at all, and insisted on knowing what his business was, and why he had come and what had happened. So that finally Akaky Akakyevitch, for the first time in his life, wanted to show character and said sharply that he had to see the Inspector personally, and that they would not dare to refuse him admission ; that he had come from the department on State business, and if he were to complain about them they would catch it !

To this the clerks dared not say anything, and one of them went to call the Inspector. Somehow, the Inspector took the story of the robbery of the greatcoat extremely strangely. Instead of paying attention to the most important point of the matter, he began to question Akaky Akakyevitch : why he was returning home so late, and had he, perhaps, been to some disorderly house ? So that Akaky Akakyevitch was utterly confused and left, himself not knowing whether the matter of the greatcoat would be taken up properly or not.

The whole of that day he was away from the office (the only time in his life). Next day he appeared looking pale, in his ' old dressing-gown,' which looked more deplorable than ever. Though there were some clerks who did not let even this opportunity pass for a dig at Akaky Akakyevitch,

киевичем, однакоже многих тронуло. Решились тут же сделать для него складчину, но собрали самую безделицу, потому что чиновники и без того уже много истратились, подписавшись на директорский портрет и на одну какую-то книгу, по предложению начальника отделения, который был приятелем сочинителю, —итак, сумма оказалась самая бездельная.

Один кто-то, движимый состраданием, решился по крайней мере помочь Акакию Акакиевичу добрым советом, сказавши, чтоб он пошёл не к квартальному, потому что, хоть и может случиться, что квартальный, желая заслужить одобрение начальства, отыщет каким-нибудь образом шинель, но шинель всё-таки останется в полиции, если он не представит законных доказательств, что она принадлежит ему; а лучше всего, чтобы он обратился к одному значительному лицу, что значительное лицо, списавшись и снесясь с кем следует, может заставить успешнее итти дело. Нечего делать, Акакий Акакиевич решил итти к значительному лицу.

Какая именно и в чём состояла должность значительного лица, это осталось до сих пор неизвестным. Нужно знать, что одно значительное лицо недавно сделался значительным лицом, а до того времени он был незначительным лицом. Впрочем, место его и теперь не почиталось значительным в сравнении с другими ещё значительнейшими. Но всегда найдётся такой

there were many, however, who were moved by the account of the robbery of the greatcoat. They decided on the spot to make a collection for him, but only collected a trifle because the clerks had already, as it was, spent a good deal, having subscribed towards a portrait of the director, and to some book at the suggestion of the Chief of the department, who was a friend of the author. Therefore, the sum turned out to be quite trifling.

One of them, moved by sympathy, decided to help Akaky Akakyevitch at least with good advice, and said that he should not go to the local Inspector, because though it might happen that the local Inspector, wishing to earn the approval of his superior, would find the coat somehow, it would, nevertheless, remain at the police station until Akaky Akakyevitch produced legal proof that it belonged to him. But it would be best of all if he appealed to a certain important personage. The important personage would write and get in touch with the appropriate person, and would thus hasten the matter. There was nothing else to be done, and Akaky Akakyevitch decided to go to the important personage.

Just what the important personage's job was, and what it consisted of, remains unknown to this day. It is necessary to know, however, that the important personage had only recently become an important personage, and that up to then he was an unimportant person. His position even now, by the way, was not considered important in comparison with others still more important. But there is

круг люде́й, для кото́рых незначи́тельное в глаза́х про́чих есть уже́ значи́тельное. Впро́чем, он стара́лся уси́лить значи́тельность мно́гими други́ми сре́дствами, и́менно: завёл, чтобы ни́зшие чино́вники встреча́ли его́ ещё на ле́стнице, когда́ он приходи́л в до́лжность; чтобы к нему́ явля́ться пря́мо никто́ не́ смел, а чтоб шло всё поря́дком строжа́йшим: колле́жский регистра́тор докла́дывал бы губе́рнскому секретарю́, губе́рнский секрета́рь—титуля́рному и́ли како́му приходи́лось друго́му, и чтобы уже́ таки́м о́бразом доходи́ло де́ло до него́. Так уж на свято́й Руси́ всё заражено́ подража́нием, вся́кий дразни́т и ко́рчит своего́ нача́льника.

Говоря́т да́же, како́й-то титуля́рный сове́тник, когда́ сде́лали его́ прави́телем како́й-то отде́льной небольшо́й канцеля́рии, тотча́с же отгороди́л себе́ осо́бенную ко́мнату, назва́вши её «ко́мнатой прису́тствия», и поста́вил у двере́й каки́х-то капельди́неров с кра́сными воротника́ми, в галуна́х, кото́рые бра́лись за ру́чку двере́й и отворя́ли её вся́кому приходи́вшему, хотя́ в «ко́мнате прису́тствия» наси́лу мог уста́виться обыкнове́нный пи́сьменный стол.

Приёмы и обы́чаи значи́тельного лица́ бы́ли соли́дны и вели́чественны, но немногосло́жны. Гла́вным основа́нием его́ систе́мы была́ стро́гость. «Стро́гость, стро́гость и—стро́гость», гова́ривал он обыкнове́нно, и при после́днем сло́ве обыкнове́нно смотре́л о́чень значи́тельно в лицо́ тому́, кото́рому говори́л. Хотя́, впро́чем, э́тому

always a circle where a person, unimportant to others, is important. Incidentally, he tried to increase his importance by many different means. For instance, he arranged that minor officials should meet him on the stairs when he arrived at the office ; that no one should come direct to him, but that everything should be conducted in the strictest order. The collegiate registrar would have to report to the county secretary, the county secretary to the titular councillor, or anyone else appointed for the work, and in this way the matter should come to him. That is how everybody in Holy Russia is infected by imitation, and every one makes mock of his chief and plays his part.

It is even said that a certain titular councillor, on being made manager of some section of a small Government office, at once partitioned off a special room for himself, calling it " audience room." At the door he placed attendants with red collars and lace, who turned the handle and opened the door for every caller, though it was barely possible to get an ordinary writing desk into this " audience room."

The manner and habits of the important personage were dignified and stately, but rather simple. The main element of his system was discipline. " Discipline, discipline—and discipline " he used to say, and at the last word he usually looked very meaningly into the face of the person to whom he was talking. Though there was no need for it, by the

и не было никакой причины, потому что десяток чиновников, составлявших весь правительственный механизм канцелярии, и без того был в надлежащем страхе: завидя его издали, оставлял уже дело и ожидал, стоя в вытяжку, пока начальник пройдёт через комнату. Обыкновенный разговор его с низшими отзывался строгостью и состоял почти из трёх фраз: «как вы смеете? знаете ли вы, с кем говорите? понимаете ли, кто стоит перед вами?» Впрочем, он был в душе добрый человек, хорош с товарищами, услужлив; но генеральский чин совершенно сбил его с толку. Получивши генеральский чин, он как-то спутался, сбился с пути и совершенно не знал, как ему быть.

Если ему случалось быть с равными себе, он был ещё человек, как следует, человек очень порядочный, во многих отношениях даже неглупый человек; но как только случалось ему быть в обществе, где были люди хоть одним чином пониже его, там он был просто хоть из рук вон: молчал, и положение его возбуждало жалость, тем более, что он сам даже чувствовал, что мог бы провести время несравненно лучше. В глазах его иногда видно было сильное желание присоединиться к какому-нибудь интересному разговору и кружку, но останавливала его мысль: не будет ли это уж очень много с его стороны, не будет ли фамилиарно, и не уронит ли он через то своего значения. И вследствие таких рассуждений он оставался вечно в одном и том же молчаливом

way, as the ten clerks who constituted the whole machinery of the " audience room " were in sufficient awe even without that ; they would, on catching sight of him, cease work and stand ·to attention, waiting till their chief had walked through the room. His usual conversation with inferiors was very severe, and consisted almost entirely of three phrases : " How dare you ? ", " Do you know whom you are talking to ? ", and " Do you realize who is standing in front of you ? " However, he was at heart a kindly person, good with his friends and obliging ; but the rank of general had completely swept him off his feet. Having received the rank of general, he somehow got confused and perplexed, not knowing at all how to behave.

If he happened to be with his equals he still behaved like a normal person, a very decent person, and, in many respects, no fool ; but as soon as he was in a company where there were people even one grade lower than himself, then he was simply lost. He was silent, and his condition aroused pity, especially as he himself felt he could have spent the time so much more pleasantly. Sometimes a strong wish to join in an interesting conversation or with a group of people could be seen in his eyes, but he was restrained by the thought, Would not that be a little too much for him ? Would it not be too familiar, and would he not perhaps, in this way, lose his dignity ? As a result of such reasoning he always remained in the same silent state, uttering

состоянии, произнося только изредка какие-то односложные звуки, и приобрёл таким образом титул скучнейшего человека.

К такому-то значительному лицу явился наш Акакий Акакиевич, и явился во время самое неблагоприятное, весьма некстати для себя, хотя, впрочем, кстати для значительного лица. Значительное лицо находился в своём кабинете и разговорился очень-очень весело с одним недавно приехавшим старинным знакомым и товарищем детства, с которым несколько лет не видался. В это время доложили ему, что пришёл какой-то Башмачкин. Он спросил отрывисто: «кто такой?» ему отвечали: «какой-то чиновник».—«А! может подождать, теперь не время», сказал значительный человек. Здесь надобно сказать, что значительный человек совершенно прилгнул: ему было время, они давно уже с приятелем переговорили обо всём и уже давно перекладывали разговор весьма длинными молчаньями, слегка только потрепливая друг друга по ляжке и приговаривая: «так-то, Иван Абрамович!»—«этак-то, Степан Варламович!» но при всём том, однако же, велел он чиновнику подождать, чтобы показать приятелю, человеку давно не служившему и зажившемуся дома в деревне, сколько времени чиновники дожидаются у него в передней.

Наконец, наговорившись, а ещё более намолчавшись вдоволь и выкуривши сигарку, в весьма покойных креслах с откидными спинками, он, наконец, как будто вдруг вспомнил и

only a monosyllabic sound at rare intervals, acquiring thereby the title of the most boring person.

It was to just such an important personage that our Akaky Akakyevitch went, and appeared there at the most unfavourable time : most inopportune for himself, though convenient for the important personage. The important personage was in his office talking very cheerfully to an old friend of his childhood whom he had not seen for several years and who had recently arrived. It was then that it was announced that somebody called Bashmatchkin had come. Abruptly he asked, " Who is he ? " and was told " Some clerk." " Ah, he can wait a little. It is not convenient now," said the important personage. It must be said that the important personage was greatly exaggerating. He had time, as he and his friend had already talked about everything, and for some time there had been long silent intervals, only digging one another in the side and adding, " So that's how it is, Ivan Abramovitch." " Yes, that's how it is, Stepan Varlamovitch." But in spite of this he ordered the clerk to wait, so as to show his friend, who had not been in the Service for a long time and was living at home in the country, what a long time people had to wait in his hall.

At last, having talked enough, with still longer intervals of silence, and having smoked cigars in very comfortable armchairs with sloping backs, as though he had just remembered he said to his

сказа́л секретарю́, останови́вшемуся у двере́й с бума́гами для докла́да: «да, ведь там стои́т, ка́жется, чино́вник; скажи́те ему́, что он мо́жет войти́». Уви́девши смире́нный вид Ака́кия Ака́киевича и его́ ста́ренький вицмунди́р, он оборо́ти́лся к нему́ вдруг и сказа́л: «что вам уго́дно?» го́лосом отры́вистым и твёрдым, кото́рому наро́чно учи́лся зара́нее у себя́ в ко́мнате, в уедине́нии и пе́ред зе́ркалом, ещё за неде́лю до получе́ния ны́нешнего своего́ ме́ста и генера́льского чи́на.

Ака́кий Ака́киевич уже́ заблаговре́менно почу́вствовал надлежа́щую ро́бость, не́сколько смути́лся и, как мог, ско́лько могла́ позво́лить ему́ свобо́да языка́, изъясни́л с прибавле́нием да́же ча́ще, чем в друго́е вре́мя, части́ц «того́», что была́-де шине́ль соверше́нно но́вая, и тепе́рь огра́блен бесчелове́чным о́бразом, и что он обраща́ется к нему́, чтоб он хода́тайством свои́м как-нибу́дь того́, списа́лся бы с г. обер-полицейме́йстером, и́ли други́м кем, и отыска́л шине́ль.

Генера́лу, неизве́стно почему́, показа́лось тако́е обхожде́ние фамилиа́рным: «Что вы, ми́лостивый госуда́рь», продолжа́л он отры́висто: «не зна́ете поря́дка? куда́ вы зашли́? не зна́ете, как во́дятся дела́? Об э́том вы бы должны́ бы́ли пре́жде пода́ть про́сьбу в канцеля́рию; она́ пошла́ бы к столонача́льнику, к нача́льнику отделе́ния, пото́м· передана́ была́ бы секретарю́, а секрета́рь доста́вил бы её уже́ мне. . . .»

secretary, who was standing at the door with some papers on which to report, " Oh, yes, I think a clerk is waiting to see me. Tell him to come in." Seeing Akaky Akakyevitch's humble look and his very old uniform, he turned to him suddenly and said, " What do you want ? " in a sharp, firm voice, which he had previously practised in the seclusion of his room in front of a mirror a week before he had obtained his present position and rank of general.

Akaky Akakyevitch, who had begun to feel rather diffident long before it was necessary, became somewhat embarrassed and, as much as his usual form of speech permitted explained with even more than the usual number of participles that his coat was quite new and that he had been robbed of it in a brutal manner, and that he was appealing to him that he should somehow intercede for him, and write to the Superintendent of Police or anybody else, and find the coat.

The General—it is not known why—thought that this approach was too familiar. " Why, sir," he continued abruptly, " are you not aware of the correct procedure ? Where do you think you are ? Don't you know how these matters are conducted ? You should, first of all, have handed a petition into the office, and it would have gone to the head clerk, then to the head of the department, then to the secretary, and the secretary would then have brought it to me. . . ."

45

ШИНЕЛЬ

«Но, ва́ше превосходи́тельство», сказа́л Ака́кий Ака́киевич, стара́ясь собра́ть всю небольшу́ю горсть прису́тствия ду́ха, кака́я то́лько в нём была́, и чу́вствуя в то же вре́мя, что он вспоте́л ужа́сным о́бразом: «я, ва́ше превосходи́тельство, осме́лился утруди́ть потому́, что секретари́ того́ . . . ненадёжный наро́д. . . .»

«Что, что, что?» сказа́л значи́тельное лицо́: «отку́да вы набра́лись тако́го ду́ху? отку́да вы мы́слей таки́х набра́лись? что за бу́йство тако́е распространи́лось ме́жду молоды́ми людьми́ про́тив нача́льников и вы́сших!» Значи́тельное лицо́, ка́жется, не заме́тил, что Ака́кию Ака́киевичу забра́лось уже́ за пятьдеся́т лет. Ста́ло быть, е́сли бы он и мог назва́ться молоды́м челове́ком, то ра́зве то́лько относи́тельно, то есть, в отноше́нии к тому́, кому́ уже́ бы́ло се́мьдесят лет. «Зна́ете ли вы, кому́ э́то говори́те? понима́ете ли вы, кто стои́т пе́ред ва́ми? понима́ете ли вы э́то, понима́ете ли э́то? я вас спра́шиваю?» Тут он то́пнул ного́ю, возведя́ го́лос до тако́й си́льной но́ты, что да́же и не Ака́кию Ака́киевичу сде́лалось бы стра́шно.

Ака́кий Ака́киевич так и о́бмер, пошатну́лся, затря́сся всем те́лом и ника́к не мог стоя́ть; е́сли бы не подбежа́ли тут же сторожа́ поддержа́ть его́, он бы шлёпнулся на́ пол; его́ вы́несли почти́ без движе́ния.

А значи́тельное лицо́, дово́льный тем, что эффе́кт превзошёл да́же ожида́ние, и соверше́нно упоённый мы́слью, что сло́во его́ мо́жет лиши́ть да́же чувств челове́ка, и́скоса взгляну́л

46

THE GREATCOAT

" But, your Excellency," said Akaky Akakyevitch, trying to collect the little presence of mind left him, feeling at the same time that he was perspiring heavily, " I, your Excellency—I ventured to trouble you because the secretaries are such . . . unreliable people. . . ."

" What is this, what, what ? " said the important personage. " Where did you get such audacity from ? Where did you get such notions ? What insolence these young people have towards their superiors." The important personage did not seem to notice that Akaky Akakyevitch was already over fifty years of age. Thus, if called a young man, it would be only relative—that is, in comparison with a person of seventy. " Do you know to whom you are speaking ? Do you realize who is standing before you ? Do you understand this ? Do you understand this ? I am asking you ? " Here he stamped his foot and his voice rose to such a shrill note that it would have frightened anyone, not only Akaky Akakyevitch.

Akaky Akakyevitch was so terror-stricken that he staggered, his whole body began to tremble, and he could not stand up at all. He would have fallen down if the porters had not run up just then to support him. He was carried out almost lifeless. And the important personage, pleased that the effect had exceeded all expectations, and quite intoxicated with the thought that a word of his could make a man faint, glanced sideways at his

на прия́теля, что́бы узна́ть, как он на э́то смо́-
трит, и не без удово́льствия уви́дел, что прия́-
тель его́ находи́лся в са́мом неопределённом
состоя́нии и начина́л да́же с своей стороны́ сам
чу́вствовать страх.

Как сошёл с ле́стницы, как вы́шел на у́лицу,
ничего́ уже́ э́того не по́мнил Ака́кий Ака́киевич.
Он не слы́шал ни рук, ни ног. В жизнь свою́
он не́ был ещё так си́льно распечён генера́лом,
да ещё и чужи́м. Он шёл по вью́ге, свисте́вшей
в у́лицах, рази́нув рот, сбива́ясь с тротуа́ров;
ве́тер, по петербу́ргскому обы́чаю, дул на него́
со всех четырёх сторо́н, из всех переу́лков.
Вмиг наду́ло ему́ в го́рло жа́бу, и добра́лся он
домо́й, не в си́лах бу́дучи сказа́ть ни одного́
сло́ва; весь распу́х и слёг в посте́ль. Так
си́льно иногда́ быва́ет надлежа́щее распека́нье!

На друго́й же день обнару́жилась у него́
си́льная горя́чка. Благодаря́ великоду́шному
вспомоществова́нию петербу́ргского кли́мата,
боле́знь пошла́ бы́стрее, чем мо́жно бы́ло ожи-
да́ть, и когда́ яви́лся до́ктор, то он, пощу́павши
пульс, ничего́ не нашёлся сде́лать, как то́лько
прописа́ть припа́рку, еди́нственно уж для того́,
что́бы больно́й не оста́лся без благоде́тельной
по́мощи медици́ны; а впро́чем тут же объяви́л
ему́ че́рез полтора́ су́ток непреме́нный капу́т.
По́сле чего́ обрати́лся к хозя́йке и сказа́л:
«А вы, ма́тушка, и вре́мени да́ром не теря́йте,
закажи́те ему́ тепе́рь же сосно́вый гроб, потому́
что дубо́вый бу́дет для него́ до́рог».

friend to find out how he was taking it, and not without gratification noticed that his friend was in a very vague state of mind, and was even beginning to feel afraid on his own behalf.

Akaky Akakyevitch could not remember at all how he got down the stairs, and how he got into the street. He could not feel his legs or arms. Never in his life had he been reprimanded in such a manner by a general, and a stranger. With his mouth open he walked through the blizzard which was whistling through the streets, reeling on and off the pavement. The wind, as is usual in St Petersburg, blew at him from all four corners and from all the alleys. In a flash it blew a quinsy into his throat, and when he reached home he was unable to say a word. All swollen, he took to his bed. So strong an effect can a thorough reprimand have sometimes.

Next day he was found to have a high fever. Thanks to the kindly aid of the St Petersburg climate, the illness developed faster than might have been expected, and when the doctor came and felt his pulse he found that he could do no more than prescribe a poultice, solely in order that the invalid might not be without kindly medical help. Then he said to Akaky Akakyevitch that he would be dead in thirty-six hours. After which he turned to the landlady and said, " And you, little mother, don't waste time. Order a pinewood coffin straight away—an oak one will be too dear for him."

ШИНЕЛЬ

Слышал ли Акакий Акакиевич эти произнесённые роковые для него слова, а если и слышал, произвели ли они на него потрясающее действие, пожалел ли он о горемычной своей жизни,—ничего этого неизвестно, потому что он находился всё время в бреду и жару. Явления, одно другого страннее, представлялись ему беспрестанно: то видел он Петровича и заказывал ему сделать шинель с какими-то западнями для воров, которые чудились ему беспрестанно под кроватью, и он поминутно призывал хозяйку вытащить у него одного вора даже из-под одеяла; то спрашивал, зачем висит перед ним старый капот его, что у него есть новая шинель; то чудилось ему, что он стоит перед генералом, выслушивая надлежащее распеканье, и приговаривает: виноват, ваше превосходительство; то, наконец, даже сквернохульничал, произнося самые страшные слова, так что старушка-хозяйка даже крестилась, от роду не слыхав от него ничего подобного, тем более, что слова эти следовали непосредственно за словом «ваше превосходительство». Далее он говорил совершенную бессмыслицу, так что ничего нельзя было понять, можно было только видеть, что беспорядочные слова и мысли ворочались около одной и той же шинели. Наконец, бедный Акакий Акакиевич испустил дух.

Ни комнаты, ни вещей его не опечатывали, потому что, во-первых, не было наследников, а во-вторых, оставалось очень немного наслед-

THE GREATCOAT

Did Akaky Akakyevitch hear these fatal words being pronounced ? And if he did hear them, did they have a disturbing effect on him ? Did he regret leaving his wretched life ? None of this is known, as he was delirious and feverish all the time. Visions, each one more strange than the other, appeared incessantly. One moment he saw Petrovitch and ordered him to make a new greatcoat with traps for thieves, who seemed to be under the bed all the time, and he called to the landlady every minute to drag a thief from under his very blanket. Then he would ask why was the old " dressing-gown " hanging in front of him when he had a new greatcoat. Then it appeared that he was standing before the General listening to the thorough reprimand, and he kept on repeating, " Guilty, your Excellency." He also even began to swear and to utter the most dreadful words, so that the little old woman, the landlady, even crossed herself, as she had never heard him use such language. What is more, these words came immediately after the words " Your Excellency." Later on he talked such utter nonsense that nothing could be understood, but it was evident that his confused words and thoughts were all the time about one and the same greatcoat. At last poor Akaky Akakyevitch gave up the ghost.

Neither his room nor his possessions were sealed. First of all because he had no heirs, and secondly, there was very little to inherit. Namely, a bundle of

ства, именно: пучок гусиных перьев, десть белой казённой бумаги, три пары носков, две-три пуговицы, оторвавшиеся от панталон, и уже известный читателю капот. Кому всё это досталось, бог знает, об этом, признаюсь, даже не интересовался рассказывающий сию повесть.

Акакия Акакиевича свезли и похоронили. И Петербург остался без Акакия Акакиевича, как будто в нём его и никогда не было. Исчезло и скрылось существо, никем не защищённое, никому не дорогое, ни для кого не интересное, даже не обратившее на себя внимание и естество-наблюдателя, не пропускающего посадить на булавку обыкновенную муху и рассмотреть её в микроскоп; существо, переносившее покорно канцелярские насмешки и без всякого чрезвычайного дела сошедшее в могилу, но для которого всё же таки, хотя перед самым концом жизни, мелькнул светлый гость в виде шинели, ожививший на миг бедную жизнь, и на которое так же потом нестерпимо обрушилось несчастье, как обрушивается оно на главы сильных мира сего! . . .

Несколько дней после его смерти послан был к нему на квартиру из департамента сторож, с приказанием немедленно явиться: началь-ник-де требует, но сторож должен был возвра-титься ни с чем, давши отчёт, что не может больше притти, и на запрос: «почему?» выра-зился словами: «Да так, уж он умер, четвёртого дня похоронили». Таким образом узнали в департаменте о смерти Акакия Акакиевича, и

goose-quills, a quire of white office paper, three pairs of socks, two or three buttons torn off his trousers, and the old " dressing-gown," already known to the reader. Who did get these things, heaven only knows, and I must confess that it is of no interest even to the author of this story.

Akaky Akakyevitch was taken away and buried, and St Petersburg was left without Akaky Akakyevitch as if he had never existed. So departed and passed away a being, defended by nobody, dear to nobody, and of no interest to anyone—not attracting even the attention of the natural history observer who does not omit to put an ordinary fly on a pin, to examine it under the microscope. A being who suffered the office jokes meekly and went to his resting-place without any ceremony, but for whom, nevertheless, although only at the very end of his life a bright Visitor appeared in the guise of a greatcoat, enlivening for a moment the poor life on which later fell such intolerable misfortune, as might befall the strong of this world !

Some days after his death a porter was sent from the office to his lodgings with an order that he should appear immediately : the Chief, said he, was asking for him, but the porter had to return without accomplishing his object, reporting that he could not come any more, and to the question "Why ? " he expressed himself in these words : " Because he is already dead, he was buried four days ago." In this way the department got to know of Akaky

на другой день уже на его месте сидел новый чиновник, гораздо выше ростом и выставлявший буквы уже не таким прямым почерком, а гораздо наклоннее и косее.

Но кто бы мог вообразить, что здесь ещё не всё об Акакии Акакиевиче, что суждено ему на несколько дней прожить шумно после своей смерти, как бы в награду за непримеченную никем жизнь. Но так случилось, и бедная история наша неожиданно принимает фантастическое окончание. По Петербургу пронеслись вдруг слухи, что у Калинкина моста и далеко подальше стал показываться по ночам мертвец в виде чиновника, ищущего какой-то утащенной шинели, и под видом стащенной шинели сдирающий со всех плеч, не разбирая чина и звания, всякие шинели: на кошках, на бобрах, на вате, енотовые, лисьи, медвежьи шубы, словом, всякого рода меха и кожи, какие только придумали люди для прикрытия собственной.

Один из департаментских чиновников видел своими глазами мертвеца и узнал в нём тотчас Акакия Акакиевича; но это внушило ему, однакоже, такой страх, что он бросился бежать со всех ног и оттого не мог хорошенько рассмотреть, а видел только, как тот издали погрозил ему пальцем. Со всех сторон поступали беспрестанно жалобы, что спины и плечи, пускай бы ещё только титулярных, но даже и надворных советников подвержены совершенной простуде по причине частого сдёргивания шинелей. В полиции сделано было распоряжение

Akakyevitch's death, and the next day there was already a new clerk sitting in his place, much taller and forming his letters not in such upright hand-writing, but much more sloping and slanting.

But who could have imagined that this was not yet all concerning Akaky Akakyevitch, that for several days after his death he was destined to live riotously, as if in compensation for a life unnoticed by anybody. But so it happened, and our poor tale unexpectedly takes on a fantastic ending. All over Petersburg rumours suddenly spread that at the Kalinkin Bridge, and far beyond, a ghost had begun to appear at nights in the form of a civil servant, looking for some stolen greatcoat, and with this stolen greatcoat as a pretext was pulling every kind of coat off the shoulders of everybody, regardless of rank and position; whether of cat's fur, beaver, wadding, raccoon, fox, or bearskin; in a word, every kind of fur and skin which people had devised for covering their own skin.

One of the department officials had seen the ghost with his own eyes, and at once recognized in him Akaky Akakyevitch; but this filled him with such fear that he began to run as fast as he could and therefore could not investigate it properly, but only saw how he threatened him with his finger from a distance. Complaints arrived incessantly from all sides that the backs and shoulders, not only of titular, but even of court councillors, were exposed to chills because of the frequent pulling off of the coats. At the police station an order was given

поймать мертвеца во что бы то ни стало, живого
или мёртвого, и наказать его, в пример другим,
жесточайшим образом, и в том едва было даже
не успели.

Именно будочник какого-то квартала в Ки-
рюшкином переулке схватил было уже совершенно мертвеца за ворот на самом месте злодеяния,
на покушении сдёрнуть фризовую шинель с
какого-то отставного музыканта, свиставшего в
своё время на флейте. Схвативши его за ворот,
он вызвал своим криком двух других товарищей,
которым поручил держать его, а сам полез
только на одну минуту за сапог, чтобы вытащить
оттуда тавлинку с табаком, освежить на время
шесть раз на веку примороженный нос свой; но
табак, верно, был такого рода, которого не мог
вынести даже и мертвец. Не успел будочник,
закрывши пальцем свою правую ноздрю, потя-
нуть левою полгорсти, как мертвец чихнул так
сильно, что совершенно забрызгал им всем
троим глаза. Покамест они поднесли кулаки
протереть их, мертвеца и след пропал, так что
они не знали даже, был ли он, точно, в их руках.
С этих пор будочники получили такой страх
к мертвецам, что даже опасались хватать и
живых, и только издали покрикивали: «Эй ты,
ступай своею дорогою!» и мертвец-чиновник
стал показываться даже за Калинкиным мостом,
наводя немалый страх на всех робких людей.

Но мы, однакоже, совершенно оставили одно
значительное лицо, которое, по-настоящему,

that, come what may, dead or alive, the ghost was to be caught, and punished most severely as an example to others ; and they nearly succeeded in this.

It happened in this way. A policeman in a certain block in the Kiriushkin alley very nearly caught the ghost by the collar at the very scene of his crime in an attempt to pull a frieze coat off some retired musician, who in his time had played the flute. Having seized him by the collar he summoned two other comrades by his shouts, and he ordered them to hold him while he himself reached into his boot for just a moment so as to pull out from there a snuff-box made of birch bark to freshen up his nose, which had in the course of his life been frostbitten six times ; but evidently the tobacco was such that even a ghost couldn't bear it. Before the police-man had managed to inhale half a fistful up his left nostril, after having closed the right with his finger, the ghost sneezed so violently that he completely bespattered the eyes of all three of them. While they raised their hands to rub their eyes all trace of the ghost vanished, so that they did not even know if he really had been in their hands. From that time policemen became so fearful of ghosts that they were even afraid to catch living people and would only shout from a distance " Hi, you, go your way ! " and the ghostly civil servant began to appear even beyond the Kalinkin Bridge, putting all timid people in great fear.

We have, however, entirely neglected one important person, who was really almost the cause

едва́ ли не́ был причи́ною фантасти́ческого направле́ния, впро́чем, соверше́нно и́стинной исто́рии. Пре́жде всего́ долг справедли́вости тре́бует сказа́ть, что одно́ значи́тельное лицо́, ско́ро по ухо́де бе́дного, распечённого в пух Ака́кия Ака́киевича, почу́вствовал что-то вро́де сожале́ния. Сострада́ние бы́ло ему́ не чу́ждо; его́ се́рдцу бы́ли досту́пны мно́гие до́брые движе́ния, несмотря́ на то, что чин весьма́ ча́сто меша́л им обнару́живаться. Как то́лько вы́шел из его́ кабине́та прие́зжий прия́тель, он да́же заду́мался о бе́дном Ака́кии Ака́киевиче. И с э́тих пор почти́ вся́кий день представля́лся ему́ бле́дный Ака́кий Ака́киевич, не вы́державший должностно́го распека́нья. Мысль о нём до тако́й сте́пени трево́жила его́, что неде́лю спустя́ он реши́лся да́же посла́ть к нему́ чино́вника узна́ть, что он и как, и нельзя́ ли в са́мом де́ле чем помо́чь ему́; и когда́ донесли́ ему́, что Ака́кий Ака́киевич у́мер скоропости́жно в горя́чке, он оста́лся да́же поражённым, слы́шал упрёки со́вести и весь день был не в ду́хе.

Жела́я ско́лько-нибу́дь развле́чься и позабы́ть неприя́тное впечатле́ние, он отпра́вился на ве́чер к одному́ из прия́телей свои́х, у кото́рого нашёл поря́дочное о́бщество, а что всего́ лу́чше, все там бы́ли почти́ одного́ и того́ же чи́на, так что он соверше́нно ниче́м не мог быть свя́зан. Это име́ло удиви́тельное де́йствие на душе́вное его́ расположе́ние. Он разверну́лся, сде́лался прия́тен в разгово́ре, любе́зен, сло́вом, провёл ве́чер о́чень прия́тно. За у́жином вы́пил он стака́на

of the fantastic turn taken by this story, which, by
the way, is really true. Justice bids us say, first of
all, that a certain important person soon after the
departure of the poor, reprimanded Akaky Akakyevitch felt something akin to pity. Compassion
was not strange to him ; his heart was susceptible
to many good impulses, in spite of the fact that very
often his rank prevented them coming to the sur-
face. As soon as the visiting friend had left his
office he even began to think about poor Akaky
Akakyevitch, and from then on, almost every day,
appeared before him, the pale Akaky Akakyevitch,
unable to stand the official reprimand. The thought
of him disturbed him to such an extent that after
a week he decided to send an official to find out how
he was, and whether it was not really possible to
help him in some way, and when he was informed
that Akaky Akakyevitch had died suddenly of a
fever he was quite downcast, he heard the re-
proaches of his conscience, and was out of spirits
the whole day.

Wishing to divert himself somewhat, and to forget the unpleasant impression, he went to an evening party at one of his friends', where he found
congenial society, and what was better than anything, everybody there was of much the same rank,
so that he was not restrained in any way whatever.
This had a remarkable effect on his frame of mind.
He unbent, became agreeable in conversation and
amiable ; in short, he passed the evening very
pleasantly. At supper he drank a couple of glasses

два шампа́нского—сре́дство, как изве́стно, не-
ду́рно де́йствующее в рассужде́нии весёлости.
Шампа́нское сообщи́ло ему́ расположе́ние к ра́з-
ным э́кстренностям, а и́менно: он реши́л не е́хать
ещё домо́й, а зае́хать к одно́й знако́мой да́ме,
Кароли́не Ива́новне, да́ме, ка́жется, неме́цкого
происхожде́ния, к кото́рой он чу́вствовал совер-
ше́нно прия́тельские отноше́ния. На́добно ска-
за́ть, что значи́тельное лицо́ был уже́ челове́к не
молодо́й, хоро́ший супру́г, почте́нный оте́ц семе́й-
ства. Два сы́на, из кото́рых оди́н служи́л
уже́ в канцеля́рии, и милови́дная шестнадцати-
ле́тняя дочь с не́сколько вы́гнутым, но хоро́шень-
ким но́сиком, приходи́ли вся́кий день целова́ть
его́ ру́ку, пригова́ривая: «bonjour, papa».
Супру́га его́, ещё же́нщина свежая и да́же
ничу́ть не дурна́я, дава́ла ему́ пре́жде поцело-
ва́ть свою́ ру́ку и пото́м, перевороти́вши её на
другу́ю сто́рону, целова́ла его́ ру́ку. Но
значи́тельное лицо́, соверше́нно, впро́чем,
дово́льный дома́шними семе́йными не́жностями,
нашёл прили́чным име́ть для дру́жеских отно-
ше́ний прия́тельницу в друго́й ча́сти го́рода.
Э́та прия́тельница была́ ничу́ть не лу́чше и не
моло́же жены́ его́; но таки́е уж зада́чи быва́ют
на све́те, и суди́ть об них не на́ше де́ло.

Ита́к, значи́тельное лицо́ сошёл с ле́стницы,
стал в са́ни и сказа́л ку́черу: «К Кароли́не
Ива́новне», а сам, заку́тавшись весьма́ роско́шно
в тёплую шине́ль, остава́лся в том прия́тном
положе́нии, лу́чше кото́рого и не вы́думаешь для
ру́сского челове́ка, то есть, когда́ сам ни о чём

of champagne—a means, as is well known, of no little efficacy in promoting merriment. The champagne put him in the mood for something special—that is to say, he decided not to go home yet, but to call on a lady he knew, Caroline Ivanovna, a lady, it seems, of German descent, with whom he was on extremely friendly terms. It must be said that the important person was no longer a young man, he was a good husband and the respected father of a family. Two sons, one of whom was already a civil servant, and a pretty sixteen-year-old daughter with a nice, but slightly arched, little nose, came every day to kiss his hand, saying " Bon jour, papa." His wife, a woman still fresh and not at all bad-looking, would first give him her hand to kiss, and would then turn it over and kiss his hand. But the important person, though quite content with the domestic family affections, considered it proper to be on friendly terms with a lady friend in another part of the town. This lady friend was by no means better nor younger than his wife, but such problems do exist in the world, and it is not for us to judge them.

And so the important person came down the stairs, took his place in the sledge, and said to the driver, " To Caroline Ivanovna," and wrapping himself very luxuriously in a warm greatcoat, fell into that pleasant state of mind, than which nothing better can be imagined for a Russian ; when you don't

не думаешь, а между тем мысли сами лезут в голову одна другой приятнее, не давая даже труда гоняться за ними и искать их.

Полный удовольствия, он слегка припоминал все весёлые места проведённого вечера, все слова, заставившие хохотать небольшой круг, многие из них он даже повторял вполголоса и нашёл, что они всё так же смешны, как и прежде, а потому не мудрено, что и сам посмеивался от души. Изредка мешал ему, однакоже, порывистый ветер, который, выхватившись вдруг, бог знает откуда и нивесть от какой причины, так и резал в лицо, подбрасывая ему туда клочки снега, хлобуча, как парус, шинельный воротник, или вдруг с неестественною силою набрасывая ему его на голову и доставляя таким образом вечные хлопоты из него выкарабкиваться. Вдруг почувствовал значительное лицо, что его ухватил кто-то весьма крепко за воротник. Обернувшись, он заметил человека небольшого роста в старом поношенном вицмундире и не без ужаса узнал в нём Акакия Акакиевича. Лицо чиновника было бледно, как снег, и глядело совершенным мертвецом. Но ужас значительного лица превзошёл все границы, когда он увидел, что рот мертвеца покривился и, пахнувши на него страшно могилою, произнёс такие речи: «А! так вот ты, наконец! наконец, я тебя того, поймал за воротник! твоей-то шинели мне и нужно! не похлопотал об моей, да ещё и распёк—отдавай же теперь свою!»

54

think of anything yourself, but thoughts, never-theless, crowd into your head, one more pleasant than the other, without having to make the least effort to seek them or pursue them.

Filled with content, he lightly recalled all the merry incidents of the party he had attended, all the words that had caused the small circle to roar with laughter, even repeating many of them in an undertone, and found that they were still as amusing as before, and it was not odd, therefore, that he had laughed at them heartily himself. From time to time he was disturbed by gusts of wind, which, coming suddenly God knows whence or why, would cut his face, driving the snow-flakes into it, flapping his coat collar like a sail, or would suddenly, with unnatural force throw it over his head, thus giving him endless bother in extricating himself from it. Suddenly the important person felt that something had seized him very firmly by the collar. Turning round, he noticed a man of small stature in a shabby old uniform, and not without horror he recognized Akaky Akakyevitch. The clerk's face was as white as snow, and he looked like a real ghost. But the terror of the important person passed all bounds when he saw that the ghost's mouth was grimacing, and smelling horribly of the grave it uttered these words : " Ah, so it's you at last ; at last I'll give it you, I have you by the collar ! And this coat of yours is what I need ! You didn't bother about mine, you even reprimanded me—now hand over yours ! "

54

ШИНЕЛЬ

Бедное значительное лицо чуть не умер. Как ни был он характерен в канцелярии и вообще перед низшими, и хотя, взглянувши на один мужественный вид его и фигуру, всякий говорил: «У, какой характер!» но здесь он, подобно весьма многим, имеющим богатырскую наружность, почувствовал такой страх, что не без причины даже стал опасаться насчёт какого-нибудь болезненного припадка. Он сам даже скинул поскорее с плеч шинель свою и закричал кучеру не своим голосом: «Пошёл во весь дух домой!» Кучер, услышавши голос, который произносится обыкновенно в решительные минуты и даже сопровождается кое-чем гораздо действительнейшим, упрятал на всякий случай голову свою в плечи, замахнулся кнутом и помчался, как стрела. Минут в шесть с небольшим, значительное лицо уже был пред подъездом своего дома. Бледный, перепуганный и без шинели, вместо того, чтобы к Каролине Ивановне, он приехал к себе, доплёлся кое-как до своей комнаты и провёл ночь весьма в большом беспорядке, так что на другой день поутру за чаем дочь ему сказала прямо: «ты сегодня совсем бледен, папа». Но папа молчал и никому ни слова о том, что с ним случилось, и где он был, и куда хотел ехать. Это происшествие сделало на него сильное впечатление. Он даже гораздо реже стал говорить подчинённым: «как вы смеете, понимаете ли, кто перед вами»; если же и произносил, то уж не прежде, как выслушавши сперва, в чём дело.

THE GREATCOAT

The poor important person nearly died. Firm though he was in the office, and generally in front of subordinates, and though by merely looking at his manly face and figure everybody said " Oh, what character," in this situation he experienced, as many of heroic exterior would have done, such terror that not without cause, he even began to fear some fit of sickness. He, himself, quickly threw his coat off his shoulders and in a voice unlike his own shouted to the driver, " Home at top speed ! " The driver, on hearing the voice which was usually adopted at decisive moments and was even accompanied by something more effective, instinctively sank his head between his shoulders, waved his whip, and flew off like an arrow. In a little over six minutes the important person was already before the entrance of his house. Pale, terrified, and coatless, he came home instead of going to Caroline Ivanovna, dragged himself to his room somehow, and passed the night in extreme confusion, so that the next morning at tea his daughter said to him outright, " You are very pale to-day, papa." But papa remained silent and said not a word to anyone of what had happened to him, where he had been and where he had intended to go. This incident made a strong impression on him. He even much less frequently said to his subordinates, " How dare you, don't you realize in whose presence you are ! " If he did say it, then it was not before he had listened to what they had to say.

ШИНЕЛЬ

Но ещё более замечательно то, что с этих пор совершенно прекратилось появление чиновника-мертвеца: видно, генеральская шинель пришлась ему совершенно по плечам, по крайней мере, уже не было нигде слышно таких случаев, чтобы сдёргивали с кого шинели. Впрочем, многие деятельные и заботливые люди никак не хотели успокоиться и поговаривали, что в дальних частях города всё ещё показывался чиновник-мертвец. И точно, один коломенский будочник видел собственными глазами, как показалось из-за одного дома привидение; но будучи по природе своей несколько бессилен, так что один раз обыкновенный взрослый поросёнок, кинувшись из какого-то частного дома, сшиб его с ног, к величайшему смеху стоявших вокруг извозчиков, с которых он вытребовал за такую издёвку по грошу на табак,—итак, будучи бессилен, он не посмел остановить его, а так шёл за ним в темноте до тех пор, пока, наконец, привидение вдруг оглянулось и, остановясь, спросило: «тебе чего хочется?» и показало такой кулак, какого и у живых не найдёшь. Будочник сказал: «ничего», да и поворотил тот же час назад. Привидение, однакоже, было уже гораздо выше ростом, носило преогромные усы и, направив шаги, как казалось, к Обухову мосту, скрылось совершенно в ночной темноте.

But what was still more remarkable was that from that time the appearance of the clerk-ghost completely stopped ; evidently the general's greatcoat fitted his shoulders perfectly, at least no further cases of coats being pulled off were heard of anywhere. Many busy and careful people, however, refused to be reassured and kept on saying that in distant parts of the town the clerk-ghost still appeared. And, actually, one Kolomna policeman, with his own eyes, saw an apparition appear from behind one of the houses, but being naturally none too robust—once an ordinary-sized sucking pig, rushing out of a private house, had thrown him off his feet to the great amusement of the coachmen standing round, from each of whom he demanded a penny for tobacco for such mockery—so, being feeble, he did not dare to stop him, but followed in the darkness, until at last the apparition suddenly looked round and, stopping, inquired, "What do you want ? " and showed him such a fist as you would find among few living people. The policeman said " Nothing," at the same time turning back. The apparition, however, was much taller, had enormous whiskers, and, it seemed, directed his steps towards the Obukhov Bridge and vanished completely into the darkness of the night.

*The illustrations are from the edition of Gogol's works
published in Moscow in 1938.*

First published in Great Britain March 1944
by GEORGE G. HARRAP & CO. LTD
182 High Holborn, London, W.C.1

Reprinted: January 1945; *December* 1946
Reprinted by photolithography May 1960

*Printed in Great Britain by
Lowe & Brydone (Printers) Ltd., London, N.W.*10